LE PEINTRE DE SALZBOURG

Charles Nodier

Edition : Culturea (culurea.fr), 34 Hérault
Contact : infos@culturea.fr
Impression : BOD, Norderstedt (Allemagne)
ISBN : 9791041972012
Date de publication : juillet 2023
Mise en page et maquettage : https://reedsy.com/
Cet ouvrage a été composé avec la police Bauer Bodoni

PRÉFACE DE L'ÉDITION DE 1810

Le *Peintre de Salzbourg* est antérieur de dix ans à *Jean Sbogar.* Je n'avais pas vingt ans quand je l'écrivais, et toute ma confiance dans le talent qu'on se croit à vingt ans n'allait pas jusqu'à croire qu'il arriverait un jour à sa quatrième édition. Il est vrai de dire que celle-ci n'était pas fort demandée par le public, et que je n'aurais pas couru grand risque d'être démenti si je l'avais donnée pour la première. Je serais toutefois bien fâché qu'on la prît pour telle ; si fâché que j'ai eu besoin de le dire, et je ne connais pas d'autre raison déterminante pour faire une préface au *Peintre de Salzbourg*.

Il faut que je le déclare cependant, ce genre de livres avait un mérite de révélation ou d'instinct qui n'était pas encore commun. Le gouvernement du Directoire avait été réparateur, mais il ne passait pas pour sentimental. Les hommes de génie étaient fort occupés de leur gloire, et les hommes d'esprit de leur fortune. Le langage de la rêverie et des passions, accrédité une trentaine d'années auparavant par quelques pages sublimes de Jean-Jacques Rousseau, malheureusement trop empreintes de l'amour physique, qui est extrêmement joli, mais sur lequel il ne faut jamais écrire ; cette expression mélancolique d'une âme tendre qui cherche sa pareille en pleurant, et qui pleure encore quand elle l'a trouvée, parce que toutes les joies du cœur humain ont des larmes ; cet élan de la sensibilité, qui est tentée de tout et que rien ne satisfait, tout cela était, surtout en France, le secret d'un petit nombre, et ce secret sympathique, celui de la vague destinée que nous avons pour la plupart cherchée dans la vie, prêtait un peu au ridicule à cette époque de réalités matérielles où nous voilà bientôt revenus par les bénéfices de la civilisation. Je ne dirai pas aujourd'hui que le ridicule fût de trop, car je commence à me désintéresser beaucoup de ces mystères.

Il n'en était pas de même dans cette merveilleuse Allemagne, la dernière pairie des poésies et des croyances de l'Occident, le berceau futur d'une forte société à venir, s'il reste une société à faire en Europe ; et l'influence littéraire de l'Allemagne commençait alors à se faire sentir chez nous, même avant l'influence de sa philosophie, mais elle n'avait pas franchi jusque-là les barrières inamovibles du classique. Tout son empire s'étendait sur quelques femmes nerveuses et sur quelques jeunes gens exaltés. Nos aînés avaient lu *Faublas*, digne Télémaque de cette génération de malheur. Nous lisions *Werther*, *Goëtz de Berlichingen* et *Charles Moor* ; et notre génération, à nous, préludait à d'autres misères, au moins rachetées par des illusions plus touchantes et plus énergiques. Je ne dirai pas ce qui vaut le mieux dans toutes ces chimères de la pensée, dont on existe quand on commence à exister ; mais si j'avais à renouveler mes jours, à mon grand regret, je ne ferais pas maintenant un autre choix. Sous le rapport même des voluptés les plus intimes, nous n'avions rien à envier aux heureux, si leurs succès se comptent par le nombre des cœurs qu'ils ont fait palpiter.

Je reviens à ma préface, dont je m'éloignais trop volontiers pour retomber dans mes romans. Celui-ci n'est donc qu'un pastiche du roman allemand, et, s'il m'en souvient, il fut plus particulièrement inspiré par la lecture du *Chant de Schwarzbourg* de Ramond, dont j'ai donné une édition chez Téchener. *Le Chœur des Pèlerins* en est imité presque littéralement.

On peut, d'après cela, juger du style, qui réunit au suprême degré les deux grands défauts de l'école germanique, exagérés par l'inexpérience d'un débutant, la naïveté maniérée et l'enthousiasme de tête. Quant à l'amour, les femmes jugeront aisément, à supposer qu'il s'en trouve quelques-unes pour me lire, que la notion m'en était tout au plus parvenue alors comme celle des délices du ciel aux enfants morts à la vie avant d'être nés au salut, et qui n'ont pas reçu du baptême le privilège de passer les limbes d'un paradis. Il est vrai que je n'en ai jamais su beaucoup davantage, et que, si j'ai conservé un peu de jeunesse de cœur, je la dois en grande partie à la crainte de me détromper de quelques mensonges plus doux que la vérité.

Le hasard seul m'a fait tomber dans cette composition sans art sur le seul artifice qui puisse la justifier aujourd'hui. Mon héros a vingt ans ; il est peintre ; il est poète ; il est allemand. Il est exactement l'homme avec lequel je m'étais identifié à cet âge, et il y avait tant de vérité au fond de celle fiction, dans ses rapports avec mon organisation particulière, qu'elle me faisait prévoir jusqu'à des malheurs que je me préparais, mais que je n'avais pas encore subis. Son langage, tout faux qu'il soit sans doute, a donc au moins le mérite de propriété qu'on recherche dans la représentation d'un personnage ; et, tout réfléchi, si j'avais à recommencer *le Peintre de Salzbourg*, je ne sais si je l'écrirais autrement.

Ce qu'il y a de certain, c'est que je ne l'écrirais pas.

Le 25 août.

Oui, tous les événements de la vie sont en rapport avec les forces de l'homme, puisque mon cœur ne s'est pas brisé.

Je me demande encore si ce n'est point quelque mauvais songe qui m'ait apporté ce blasphème : – Eulalie épouse d'un autre ! – et je regarde autour de moi pour m'assurer si je veille ; et je suis désespéré quand je retrouve la nature dans le même ordre qu'auparavant » Il vaudrait mieux que ma raison fût égarée. Quelquefois aussi je voudrais me reposer dans mon courage ; mais voici tout-à-coup cette nouvelle incroyable qui vient retentir à mon oreille, et qui me ressaisit des angoisses de la mort.

J'ai compté beaucoup d'infortunes ; mais cette infortune est trop amère ! Banni de la Bavière comme un misérable factieux, proscrit, fugitif, errant pendant deux ans des rives du Danube aux montagnes de l'Écosse, on m'avait tout dérobé, la patrie et l'honneur ! Eulalie me restait cependant ! ce souvenir ineffable enchantais ma misère et peuplait ma solitude. J'étais heureux par l'avenir et par elle. –

Hier encore, palpitant de désir, d'impatience, d'amour, je venais, – je croyais, – et aujourd'hui !…

Le 26 août.

Il y a une idée qui resserre mon cœur, une idée douloureuse et mortelle !

Comment se fait-il que nos impressions les plus profondes soient quelque chose de si vague et de si incertain, que la révolution de quelques mois, de quelques jours, qu'un instant presque indivisible les efface ? Quelle est la nature de ce sentiment, si violent dans son ivresse, si rapide dans sa durée, qui aspire à embrasser l'avenir, et qu'une année dévore ? Serait-il vrai que les affections de l'homme ne fussent qu'un sablier renversé, qui laisse échapper peu à peu tout ce qu'on lui donne à contenir ? et faudra-t-il que nous mourions partout où nous avons vécu, - là même où l'on trouverait tant de douceur à s'immortaliser, - dans le cœur de ceux qui nous aiment ?

Oh ! combien la Providence fut sage quand elle assigna une si courte carrière aux voyageurs de la vie ? Si elle avait été plus prodigue de jours, et que le temps eût amené plus lentement l'heure de notre destruction, quel homme aurait pu se flatter d'entraîner avec lui quelques souvenirs de sa jeunesse ? Après avoir erré dans un cercle sans fin de sensations toujours nouvelles, il arriverait, seul, au monument ; et en jetant un regard éteint sur la scène obscure et confuse du passé, il y chercherait inutilement une des émotions de son premier âge : il aurait tout oublié ! tout ! jusqu'au premier baiser de sa bien-aimée, jusqu'aux cheveux blancs de son père !

Mais si le vulgaire use ses jours dans ces misérables irrésolutions, il me semblait, du moins, qu'il était donné à certaines âmes d'éterniser leurs sentiments. Une fois je crus l'avoir trouvée, cette âme voisine de mon âme, et je lui confiai mon bonheur ! Qui pourra redire tout ce qu'elles ont eu de charme, ces heures d'ivresse, où, penché sur le sein d'Eulalie, respirant son haleine, attentif au moindre battement de son cœur, toutes mes facultés s'abîmaient dans un seul de ses regards ? C'est pourtant celle-ci qui m'a trompé ! et lorsqu'en la pressant des tristes étreintes d'un long adieu, je lui demandais le titre d'époux, elle me le promettait devant le père de tout amour. De quel droit me l'a-t-elle ravi ? pourquoi m'a-t-elle réduit à ce néant ?

Ils m'oubliaient donc tous ! car je pense que si quelque voix amie avait fait vibrer mon nom, au milieu de la solennité parjure... – Mais ils m'oubliaient tous, et personne ne lui disait : – Tremblez, Eulalie, Dieu vous voit ! – Ils m'oubliaient tous, et cette trahison fut consommée !

Le 28 août.

Ce soir, je marchais au hasard ; et je ne sais comment cela s'est fait, – j'ai senti un poids qui m'oppressait, un nuage qui troublait ma vue, un feu qui parcourait mon sang, et je me suis assis. Un instant après, j'ai levé les yeux, et j'ai reconnu dans la maison qui m'était opposée la demeure d'Eulalie. Sa chambre était éclairée.

Eulalie est venue, et s'est arrêtée derrière la fenêtre, dans une contemplation silencieuse. Elle souffrait, car elle a regardé le ciel. Sa poitrine paraissait gonflée, ses cheveux étaient épars ; elle a porté sa main sur son front : il brûlait sans doute. Ensuite elle s'est retirée sans m'avoir aperçu, et j'ai vu son ombre s'agrandir sur la muraille, et se confondre avec toutes les ombres. J'ai voulu parler ; mais je n'ai point trouvé de voix, et j'étais muet de saisissement, comme un voyageur de nuit qui a rencontré quelque apparition.

Après cela, je me suis approché de cette fenêtre, et je me suis plongé dans la lumière qui en descendait. Mais je n'ai pu supporter longtemps ces agitations ; j'ai repris tristement ma route, et quand je suis arrivé chez moi, mes jambes ont défailli ; je me suis laissé tomber contre terre, et j'ai fondu en larmes.

Le 29 août.

Tout conspire à m'accabler. En m'égarant dans ces campagnes, j'ai vu, au-devant d'une jolie ferme, une femme proprement vêtue ; et, avant que j'eusse distingué ses traits, elle s'est jetée dans mes bras, et a mouillé mes joues de pleurs. Et comme j'hésitais : Vous ne me reconnaissez pas ? a-t-elle dit ; c'est moi, c'est moi qui suis cette jeune fille que le désespoir avait poussée au suicide, et que vous sauvâtes au péril de vos jours ; c'est moi que vous avez comblée de tant de biens, que vous avez arrachée à la misère, que vous avez rendue au bonheur ; c'est à vous que je dois et la vie dont je jouis, et mon cher époux, et mes enfants bien aimés ; et je veux… - Elle voulait que je visse ses enfants. Cessez, cessez, lui ai-je dit en pressant sa main contre mon cœur, vous ne savez pas si je suis assez fort pour tout ceci. - Et cette jeune dame ? a-t-elle ajouté mystérieusement ; que le ciel vous soit propice à tous deux ! Si belle, et une âme si grande ! Oh ! de combien de joies ne doit-elle pas maintenant embellir votre existence ! - À ces mots, j'ai détourné mon visage, en frissonnant d'indignation et de douleur ; et cette femme a cru… - Oui, tuée, morte, perdue à jamais ! me suis-je écrié ; et je l'ai abandonnée à l'erreur de ses regrets.

De retour ici, j'ai appris qu'Eulalie était partie aujourd'hui pour la campagne. Partie ! savait-elle !… Oh ! je partirai, je veux partir aussi ; et, mille fois déjà, j'ai tourné le couteau contre mon sein ; et, mille fois, j'ai demandé à Dieu la mort et le néant, - le néant ; car de revivre encore, et se rappeler que l'on a vécu, j'aimerais autant ne pas m'en aller. Mais je ne reviendrais peut-être pas comme je suis ; - et le changement ! - et puis, d'ailleurs, il faudrait un peu de temps pour m'ajuster d'une autre manière.

Ce sont là de grandes considérations.

Le 2 septembre.

La journée a été calme, le ciel pur et pacifique ; mais à l'instant où le soleil descend dans sa pompe occidentale, l'horizon s'est tout-à-coup enveloppé de nuages, comme d'une ceinture ; et peu à peu de grandes ténèbres ont dévoré la lumière du crépuscule.

Ainsi, ai-je dit, j'ai commencé dans une aurore douce et brillante ; et je vais finir, comme cette journée, dans le trouble d'un soir nébuleux. À cette idée, je me suis représenté, avec beaucoup de force, les sensations neuves et superbes du bel âge ; j'ai recherché dans ma mémoire les jeunes désirs, les espérances naïves d'une âme vierge, et je me suis rebercé dans ces souvenirs.

Cependant des éclairs fréquents parcouraient l'atmosphère, et ouvraient dans les nuages déchirés d'éclatantes avenues et de vastes portiques de feu. La foudre glissait sous les voûtes de la nuit, comme une épée flamboyante ; et à sa lueur passagère, on voyait quelquefois des ombres sinistres se balancer sur le vallon, semblables à ces esprits de vengeance qui sont envoyés sur les ailes de la tempête, pour effrayer les enfants des hommes. Les vents frémissaient dans les forêts, ou grondaient dans les abîmes ; et leurs voix impétueuses se confondaient, dans les profondeurs de la montagne, avec les sons graves du tocsin, le tumulte de la cascade et le fracas des tonnerres ; et dans le silence même qui succédait, triste et terrible, à ces harmonies imposantes, on distinguait des bruits étranges et des concerts mystérieux, comme ceux qui doivent s'élever dans les solennités du ciel.

Dans ces bouleversements qui désolent la création, il y a un baume pour les plaies du cœur, parce que nos afflictions sont absorbées par des afflictions si augustes, et que notre compassion est obligée à se répartir sur un monde. Tout à l'heure, par exemple, je m'identifiais avec cette nature souffrante, et je l'embrassais tout entière de ma pitié. J'ai essayé de me maintenir dans cet état ; mais depuis que je souffre seul, il a bien fallu que ma pitié réagît sur moi-même.

Le 3 septembre.

J'avais souvent désiré de revoir ce monastère abandonné, où j'ai recueilli jadis de touchantes inspirations, dans le silence des cloîtres. Il me souvenait de m'être promené, avec Eulalie, parmi ses ruines confuses et ses bâtiments délabrés ; et en apercevant au sommet de la colline la longue flèche de l'église, hardiment élancée dans les airs, j'ai tressailli de joie, comme à l'approche d'un ami. Seulement, j'ai observé, non sans douleur, qu'on avait réparé les brèches de la muraille, et que les haies venaient d'être émondées. Le désastre des clôtures démolies, et l'énergie d'une végétation libre et sauvage, m'avaient imprimé des sensations d'une tout autre grandeur. Mais comme elles ont assiégé ma pensée, quand, arrivé à l'antique vestibule, j'ai entendu le bruit de mes pas, retentissant dans les échos des chapelles et du sanctuaire ; et comme les portes tremblantes criaient, en tournant difficilement sur leurs gonds ! avec quels serrements de cœur et quelle volupté de larmes j'ai traversé les corridors résonnants et les cours dévastées, pour parvenir au pied du grand escalier de la terrasse ! Là s'échappaient, du milieu des marches rompues, les cylindres veloutés du verbascum, les cloches bleues des campanules, des bouquets d'arabette et des touffes d'éclaire dorée ; la jusquiame y croissait aussi, avec ses couleurs âtres et ses fleurs meurtries. Je me suis appuyé contre une colonne qui, seule, était restée debout, comme quelque noble orphelin d'une famille malheureuse ; et près de moi, il y avait encore un grand orme qui paraissait à peine au-dessus des vieux débris, mais dont le feu céleste avait déjà brûlé la cime.

J'ai dit : Pourquoi mon génie lui-même n'est-il plus qu'une ruine ? Pourquoi la nature que je trouvais toute belle s'est-elle décolorée avant le temps ? Que n'ai-je encore ce pouvoir créateur, cette délicatesse exquise et cette fleur de sentiment qui inspiraient mes premiers ouvrages ? Maintenant mes crayons sont froids, mes toiles inanimées, et mon âme s'est éteinte dans les douleurs. Si quelquefois une idée forte et magnifique m'apparaît, je cherche en vain à la fixer. Bientôt mon sang fermente, et je ne la retrouve plus qu'à travers des teintes bizarres et des formes gigantesques ; ou bien, je me lasse de sentir, et alors elle se dégrade et pâlit sous mes pinceaux ; c'est, peut-être, que l'image d'Eulalie repose avec trop d'empire devant ma mémoire, et que cela me distrait.

Pendant ce temps-là, je me suis approché de l'ancien cimetière des moines ; et j'ai vu une femme qui dessinait, assise sur une tombe. Elle a jeté les yeux sur moi ; et quand les miens les ont rencontrés, j'ai été ébloui, comme si un météore avait passé contre ma vue, et je suis tombé sur mes genoux. Alors, Eulalie, – c'était elle, – Eulalie s'est avancée, a soulevé ma main tremblante, et m'a adressé des paroles de consolation. Quand je suis revenu à moi, et que j'ai pu me rendre compte de cet événement ; quand j'ai réfléchi sur le hasard sinistre qui nous avait préparé ce rendez-vous sépulcral ; quand j'ai prévu ce que notre entretien devait avoir de pénible, et quelles nouvelles impressions allaient tourmenter mon cœur, – j'ai désiré qu'un abîme s'ouvrît sous nos pieds, et nous ensevelît tous les deux. Vous ici ! ai-je dit enfin. – Ici, a-t-elle répondu ; – c'est dans ces lieux pleins de vous, c'est au milieu de mes souvenirs heureux que j'ai voulu habiter, et cette pensée même fût-elle coupable aujourd'hui… Coupable ! a-t-elle ajouté vivement ; que le ciel ait pitié de nous ! – Mais elle a prononcé ces mots avec un son de voix, un soupir et un regard, qui n'étaient plus faits pour moi.

Cependant je me suis assis à ses côtés, en m'abandonnant à tous mes regrets ; je me suis répandu en imprécations contre la destinée et contre elle-même ; je lui ai rappelé le jour de mon bannissement, l'heure plus funeste de notre séparation, et les serments qu'elle a violés, serments scellés par tant de baisers et de larmes ! J'ai pleuré encore avec beaucoup d'amertume, et les sanglots qui me suffoquaient m'ont empêché de continuer.

Que la volonté de Dieu soit faite, a repris Eulalie ; mais qu'il ne permette pas que vous me condamniez sans m'avoir entendue ! Savez-vous ce que j'ai souffert ? Marchiez-vous près de moi quand j'épiais les dernières traces de votre passage, et que mon œil, troublé de pleurs, ne pouvait plus distinguer l'endroit d'où vous étiez parti ? Avez-vous assisté à ces longues veilles que je passais à gémir en m'occupant de vous ? M'avez-vous vue, enfin, – et pourquoi ne suis-je pas morte ce jour-là ? je croyais, j'espérais mourir ; car je ne pensais pas que le faible cœur d'une femme pût contenir tant de douleurs. – Dites, m'avez-vous vue, prête à expirer de désespoir à la nouvelle de votre mort ?

À ce mot, qui me frappait pour la première fois, j'ai soupiré ; tant la seule pensée que j'aurais pu mourir de la sorte, emportant son amour et regretté par elle, m'offrait de charmes et m'inspirait de désirs ! Elle a poursuivi ainsi :

M. Spronck arriva de Carinthie à Salzbourg ; il nous fut présenté. Je le vis. Il plut à ma mère. Moi-même, – je ne sais, – mais je lui trouvais, – comme elle – quelque chose de votre air et de votre manière de sentir ; et, surtout, cette empreinte de mélancolie, ce caractère touchant d'une âme qui nourrit des peines cachées, ce je ne sais quoi qui impose avant que nous ayons entrepris de le définir. Il avait, d'ailleurs, éprouvé de grands chagrins. L'intérêt qu'il m'inspira, il l'aurait obtenu de vous. N'est-il pas vrai qu'il y a une tendre pitié qu'on ne peut refuser au malheur ?

Vous le savez, Charles, pendant votre absence j'ai perdu ma mère. Quand elle vit s'avancer le moment fatal, elle nous appela autour d'elle, – lui aussi ; – d'abord elle me regarda, et un nuage d'inquiétude sembla ternir l'éclat qui commençait à briller sur son visage. Ensuite elle nous regarda tous deux ensemble ; elle engagea la main de Spronck dans la mienne, et l'expression d'une volonté irrésistible s'arrêta sur ses lèvres mourantes ; puis elle passa si doucement de cette vie dans l'éternité, qu'on aurait cru qu'elle sommeillait, si notre douleur n'avait pas témoigné qu'elle n'était plus. Voilà comment, déplorable héritage de l'infortune et de la mort, je suis devenue l'épouse d'un autre ; c'est ainsi que j'ai trahi votre mémoire pour obéir à la voix de la nature et du tombeau ; et ce que toutes les puissances du monde ne m'auraient pas contrainte à faire, c'est ainsi que le dernier regard de ma mère l'a obtenu. –

Ceci achevé, Eulalie s'est tournée vers moi avec une douce compassion : Charles, a-t-elle dit, nous voilà comme deux voyageurs du désert qui avaient rêvé du repos et de la patrie, et qui reprennent parmi les sables un chemin laborieux. Tout s'est évanoui ; – mais armez-vous de courage, et soyez sûr, ô Charles, que mon amitié vous suivra. –

En prononçant ces paroles, elle s'est échappée, disparaissant à la faveur des ténèbres qui descendaient sur le monastère. Je me suis attaché à ses pas ; je voulais la retrouver et la voir une fois encore ; mais le bruit que j'entendais, c'était celui du saule pleureur, qui frémissait dans ses rameaux épars et dans sa chevelure mélancolique. Tout-à-coup j'ai répété ces mots, *son amitié me suivra ;* et avec quelle douceur je les ai répétés jusqu'ici ! Cette idée rassérénait mes sens, embaumait l'air, et jetait sur toute la nature un charme indéfinissable qui tenait de l'enchantement. J'ai été plus heureux, – pourquoi pas ? j'étais avide d'affections ; et Dieu sait de quelles chimères je remplis quelquefois le néant de mon cœur !

Le 4 septembre.

Son amitié ! – Jusqu'à quel point ce sentiment me suffit, – voilà la question. Que peut-il y avoir de commun entre une société froide et austère, qui n'a que des joies sérieuses et des plaisirs compassés, et cette union, pleine d'ivresse et de voluptés, où deux êtres prédestinés à se chérir viennent confondre toute leur existence ? – entre cet aliment de quelques âmes appauvries, et le feu pur et régénérateur qui dévore la vie et qui la reproduit ? L'amitié ! eh quoi ! à l'enfant opiniâtre qui redemande l'objet qu'on veut lui soustraire, on jette quelque hochet pour amuser sa douleur.

À vingt-trois ans, je suis cruellement désabusé de toutes les choses de la terre, et je suis entré en un grand dédain du monde et de moi-même ; car j'ai vu qu'il n'y avait qu'affliction dans la nature, et que le cœur de l'homme n'était qu'amertume. Il arrive, il jette sur ce qui l'entoure un regard inexpérimenté, et son immense affection embrasse avidement toutes les créatures. À lui seul, il croit pouvoir animer un autre univers, tandis qu'il marche, hélas ! au milieu d'un monde mort, et qu'il prodigue inutilement ses journées fugitives et son amour inconsidéré. Bientôt il observe, il apprend, il juge ; déjà son imagination s'éteint, ses illusions se flétrissent, sa sphère se rétrécit, toutes ses relations se resserrent autour de lui-même, jusqu'à l'instant où une expérience douloureuse brille à ses yeux, comme une torche allumée sur des tombeaux, et achève de l'éclairer sur son néant. Enfin il ne trouve plus que des âmes sourdes et réfractaires ; l'amitié l'oublie, l'amour le trahit, la société le rebute ; il sent que tous les liens vont se rompre : – ils se rompent en effet ; et heureux s'il cède lui-même à ce grand déchirement ! Après cette époque, je ne vois plus que des égoïstes qui sont parvenus à dessécher leur cœur, et des enthousiastes qui l'épuisent sur des chimères.

Tournoyer dans un océan d'inquiétudes et de douleurs ; et quand on se délasse à peine de tant d'émotions violentes, quand les appréciations exagérées commencent à peine à se rectifier ; – voici venir la mort, célère et inattendue, qui vous étreint de ses bras inflexibles, et qui vous endort tout entier dans le silence du tombeau !...

Le 6 septembre.

Encore un douloureux souvenir ! J'ai retrouvé ce soir, sur les bords de la rivière, l'angle d'un bastion à demi démoli, au pied duquel nous nous reposions de nos promenades dans les belles soirées de l'été. Le tapis de mousse où nous fûmes si souvent assis a conservé sa fraîcheur ; la ruine menaçante qui le surmonte est encore debout. J'ai pensé quelquefois qu'elle pouvait nous ensevelir dans sa chute ; et maintenant, elle survit à l'amour immortel qu'Eulalie m'avait juré, à l'immortelle félicité que je m'étais promise. Là, peu de jours avant mon départ, en suivant des yeux le mouvement de l'onde, en me transportant par la pensée au milieu de ces mers lointaines où j'allais la suivre ; – pénétré de douleur, à l'idée d'une séparation peut-être irréparable, – je saisis la main d'Eulalie, et je l'inondai de larmes. Aussi troublée que moi, elle essaya de me distraire d'un sentiment trop pénible, en chantant une de ces romances qui avaient tant de fois charmé nos soirées. C'était, – puis-je l'oublier jamais ! – Ah ! il n'y a pas un son de sa voix qui ne retentisse encore dans mon cœur !...

Claire et Paulin avec simplesse
Coulaient leurs jours,
Et voyaient fleurir leur jeunesse
Et leurs amours.
Rien ne pouvait en apparence
Les désunir ;
Le temps cher à leur espérance
Allait venir.

Ils ne rêvaient qu'hymen et joie,
Loisirs heureux,
Qu'un Dieu consolateur envoie
Aux amoureux.
Mais de Paulin voici le père :
– Il faut partir,
Et de l'amour de votre Claire
Vous départir. –

Il s'en alla vers sa future
En grand émoi,
– Déplorable mésaventure !
C'est fait de moi !
Mon père veut que je le suive,
Et dès ce soir !
Mais jurons-nous, quoi qu'il arrive,
De nous revoir.

Si quelqu'un d'une amour coupable
Veut te lier.
Tu répondras : Suis-je capable
De l'oublier ?
Bientôt, mon ami va me dire :
Éveillez-vous ?
C'est enfin l'heure de sourire
À votre époux.

Mais si l'un de nous, dans l'attente,
Est trépassé.
Que son âme reste constante
Au délaissé.

Qu'avec doux regard, doux visage,
Et doux parler,
Elle vienne, du noir rivage,
Le consoler. –

Paulin partit. Un cœur novice
Est si léger !
Un rien, un désir, un caprice,
Le fait changer.
Claire est bien loin ! Rose est jolie !
Un trait l'atteint.
Le temps fuit. Le serment s'oublie,
L'amour s'éteint.

Claire, apprenant par renommée
Ses nouveaux feux,
Lui mande : – Une autre bien-aimée
Obtient tes vœux ;
Celui qui m'occupe à toute heure
M'a pu trahir !
Claire lui pardonne, le pleure,
Et va mourir. –

D'abord, à de grandes alarmes
Il se livra ;
Mais Rose d'un air plein de charmes
Le rassura :
– Pourrais-tu croire à la nouvelle
De ce trépas ?
On se lamente, on se querelle,
On ne meurt pas.

La joie est si vite ravie
À nos désirs !
Faut-il consumer notre vie
En déplaisirs ?
Viens à la fête qu'on dispose,
Finir le jour ;
Et tu recevras de ta Rose
Merci d'amour. –

Il vole au bal, et fend la presse
Pour la chercher ;
Il lui semble que tout s'empresse
À la cacher ;
Il croit l'entendre dans la foule
Au moindre bruit,
Et voit son esprit qui s'écoule
Avec la nuit.

Mais, voilà bien de son amante
Le domino,
Son cou de lys, sa main charmante,
Et son anneau :
– Rose, un heureux projet t'appelle ;
Il t'en souvient !
Tu me diras, trop tôt, cruelle,
Que le jour vient.

Disparaissez, forme empruntée,
Masque envieux ! –
Il dit, et Claire ensanglantée,
S'offre à ses yeux,
Le bras armé d'un glaive humide,
L'œil égaré,
Le teint meurtri, le sein livide
Et déchiré ;

Sans le délivrer de cette ombre,
Le jour à lui ;
Elle promène un regard sombre
Autour de lui ;
Dès que ses sens, chargés de veilles,
Vont s'assoupir,
Elle murmure à ses oreilles
Un long soupir.

Mais quand sa peine fut comblée
Il eut merci,
Et rendit son âme accablée

D'un noir souci. –
Puisse comme lui tout parjure
À son serment
Subir de sa lâche imposture
Le châtiment.

En me rappelant cela, je me suis surpris à répéter cette imprécation d'une voix haute avec l'accent de la colère, et je me suis enfui, plein de terreur ; car je craignais que le ciel ne m'eût entendu.

Le 8 septembre.

À quelques pas de Salzbourg, il y a un petit village, découpé d'une manière agreste et légère au revers de la montagne. Plusieurs ruisseaux descendus des rochers se réunissent au-dessous de l'enclos du presbytère, et forment ensemble un canal qui se déroule au travers de la plaine, comme un large sillon d'argent, et va se perdre dans la rivière. Le murmure des petits flots, le mugissement éloigné des ondes, et le frissonnement des peupliers émus par le vent, s'harmonient avec une douceur inexprimable, et portent à l'âme je ne sais quelle langueur, quel trouble délicieux qu'on aime à entretenir. Mais jamais ce tableau n'a un charme plus indicible qu'à l'heure où le ciel, orné des couleurs de l'aube, sourit à l'approche du jour, quand un brouillard humide et blanchâtre nage sur le vallon, et que les premiers feux du soleil commencent à dorer les plombs du clocher.

Ce matin, je me promenais de ce côté, en proie à des rêveries plus heureuses que d'habitude, quand les sons lugubres, distants et prolongés de l'airain mortuaire, sont venus me distraire de tous les songes du passé. Je me suis tourné vers la ville, et j'ai vu, à l'angle du chemin, un convoi qui s'avançait avec lenteur, en récitant des prières à voix basse. Quatre hommes qui portaient une bière couverte d'un grand linceul ouvraient ce funeste cortège. Près d'eux marchaient autant de jeunes filles vêtues de blanc, les cheveux épars, les yeux rouges de larmes, le sein haletant de soupirs ; et, d'une main, elles soulevaient les extrémités du drap funèbre. Ensuite venaient pêle-mêle des femmes, des enfants et des vieillards, qui paraissaient tous pénétrés de douleur, mais d'une douleur muette et résignée ; ce qui m'a fait penser que l'être infortuné qu'on allait déposer dans sa dernière demeure n'y était point accompagné par ses parents, car les regrets de la nature ont un autre caractère. J'oubliais de dire que le linceul était blanc, et qu'on y avait attaché une petite couronne de fleurs, semblable à celles dont on pare le front des vierges.

Lorsque la foule a été écoulée, je me suis adressé à une femme presque octogénaire, qui suivait d'un pas plus tardif, à cause de son grand âge ; et je lui ai demandé le nom de la personne qu'on emportait dans cette bière. – Hélas ! monsieur, m'a-t-elle reparti en sanglotant, vous n'avez pas manqué d'entendre parler de la bonne Cordélia. Si jeune encore, elle était déjà la mère des pauvres et l'édification des sages. C'est elle qui est morte hier. – Mais comme j'ai témoigné à cette bonne femme que le nom de Cordélia m'était inconnu, et que, depuis quelques années, j'étais étranger à Salzbourg, elle m'a raconté ce qui suit, pendant que je prenais son bras pour lui adoucir les fatigues du voyage.

« Cordélia était née d'une famille opulente ; mais elle était si humble et si compatissante pour la misère, qu'on ne s'était jamais aperçu de sa fortune qu'à ses libéralités. La mère de Cordélia se glorifiait de sa fille ; les pères la donnaient pour modèle à leurs enfants ; ses amies la nommaient avec orgueil ; les pauvres la bénissaient ; et l'envie elle-même se taisait quand on parlait d'elle ; car tout le monde l'aimait, tant elle était douce et bonne, la pauvre Cordélia ! Il faut bien que les anges en aient été jaloux, pour que Dieu l'ait éprouvée à ce point. Il y a déjà longtemps que sa mère s'aperçut qu'elle dévorait un chagrin caché, et qu'elle s'efforça de pénétrer le mystère de son cœur. Qu'as-tu, ma Cordélia ? lui disait-elle ; et Cordélia se penchait sur le sein de sa mère, et gémissait. Tu aimes ? ajouta sa mère un jour. Cordélia ne répondit rien. C'est que c'était là son secret et qu'elle n'osait ni le taire ni l'avouer.

« Cependant elle n'avait point à rougir du choix qu'elle avait fait, car Guillaume est un digne garçon ; mais elle croyait qu'on ne voudrait point consentir à son mariage avec lui, parce que

Guillaume était, pauvre. Voilà pourquoi elle dérobait la connaissance de son mal, quoiqu'il s'accrût tous les jours. Enfin, elle fut atteinte d'une maladie effrayante, et dans les accès de délire qui la saisissaient, elle prononçait souvent le nom de Guillaume. Quand la fièvre commençait à se calmer, et que Cordélia reprenait ses sens, sa mère s'asseyait auprès d'elle, et l'interrogeait de nouveau. Une fois elle convint de tout, parce qu'on lui apprit comment elle s'était trahie. Ses parents se réunirent, et après y avoir mûrement réfléchi, ils résolurent de la marier à Guillaume, puisqu'elle lui avait donné son amour.

« On profita d'un de ces moments paisibles où Cordélia laissait quelque espoir de convalescence pour lui en apporter la nouvelle, et comme on pensait que sa parfaite guérison pouvait dépendre de cette union tant désirée, on prit jour pour y procéder, dans une chapelle voisine de la maison. C'était hier, à pareille heure que maintenant, et précisément comme elle venait d'atteindre à sa dix-septième année. Elle se leva, s'habilla, et se rendit à la chapelle, entre sa mère qui était toute consolée, et Guillaume qui ne se sentait pas de joie. Ces amies qui l'entourent encore marchaient à ses côtés. On disait en la voyant passer : Voyez Cordélia ! elle est plus pâle, mais elle est au moins aussi belle. En effet, son air était plein de noblesse, de grâce et de sérénité. Seulement, au pied de l'autel, elle prononça tout bas ces mots, en s'appuyant sur Guillaume : Je me trouve mal. On la ramena ; mais le coup était porté, et il avait détruit toutes les ressources de la vie. Quelques minutes après midi, son œil sembla se ternir et s'éteindre. Elle le fixa tendrement sur son mari et sur sa mère, soupira et sourit. Ensuite elle détourna la tête, et demeura immobile. Guillaume effrayé prit sa main ; elle était froide. Cordélia venait de mourir ! »

Nous marchions déjà dans le village que Cordélia, pendant le cours de sa maladie, avait marqué pour le lieu de sa sépulture ; et je m'informais encore, avec une triste curiosité, de tous les détails de cet événement. J'aimais à entendre comment cette âme sensible et généreuse s'était fait connaître des malheureux pendant son trop rapide séjour sur la terre. Je plaignais Guillaume surtout ; car, de survivre à ce qu'on aime… Que dis-je ? Il en mourra, sans doute !

Et cependant nous arrivons devant l'église. La porte s'ouvre, le corps est déposé sur le seuil ; et le prêtre debout, les yeux levés au ciel, le front calme, les bras étendus, l'aspersoir à la main, laisse tomber quelques gouttes d'eau consacrée sur la prison étroite et mystérieuse qui renferme Cordélia. Ensuite on introduit le cercueil ; le convoi l'accompagne, silencieux, sous la nef antique, et se divise en deux rangs, auprès des grilles du chœur ; le peuple se prosterne, et le sacrifice commence.

Quel spectacle elle offrait à mes yeux, et de quelles idées elle venait assaillir mon cœur, cette pompe touchante que la religion a placée comme un point de repos entre le trépas et l'éternité ! La sainteté du lieu ; la grandeur des cérémonies ; la mélodie imposante qui retentit dans l'enceinte sacrée ; les vapeurs de l'encens qui se mêlent à la fumée des flambeaux funéraires ; un prêtre auguste qui apporte au Tout-Puissant les prières de la multitude ; une foule pieuse qui appelle les miséricordes inépuisables du Créateur sur le tombeau de la créature ; Dieu lui-même, descendu en victime expiatoire pour la rédemption des hommes, et ramenant les fidèles au pied du trône de son père ; - et près de moi, dans cette bière, - sous ces tristes livrées de la mort, - une jeune fille qui avait à peine rêvé les embrassements d'un époux, et qui échange si vite ses roses contre des cyprès, les délices de son printemps contre les secrets de l'avenir, son lit nuptial contre une fosse ! une vierge qui n'était pas encore dépouillée de sa robe d'hymen, et qu'ils vont jeter à jamais dans la terre humide et profonde, à la merci de toutes les intempéries des saisons et de tous les ravages du temps ! Cette innocente Cordélia, hier, hélas ! si ravissante de perfections et de beautés ; aujourd'hui, un cadavre !

Tandis que je livrais à ces réflexions, le cortège s'est porté au cimetière, où il devait laisser Cordélia ; et les regrets qu'elle inspirait ont éclaté avec plus d'amertume. C'est alors qu'on aurait pu penser que chacun pleurait en elle une fille ou une sœur chérie, tant l'idée de s'en séparer pour toujours, et de perdre bientôt de vue le peu qui en restait, avait augmenté le développement de toutes les douleurs !

Dans ce moment même, un étranger s'est approché, et quel homme ce devait être que celui-ci ! Il paraissait toucher à l'âge mûr ; mais quelque grande douleur avait déjà gravé sur son front les empreintes d'une vieillesse anticipée. Son regard doux et fier, tendre et cependant un peu sombre, commandait le respect, l'admiration et l'amour ; et je ne sais quoi de céleste et d'éblouissant flottait sur son visage avec une majesté incomparable. Il est venu à moi, il m'a interrogé d'une voix émue, et je lui ai répété en peu de mots ce qu'on m'avait raconté de Cordélia et de sa mort ; mais quand j'en suis arrivé à la fin de ce récit, il a cessé de m'interroger, et, peut-être, de me voir ; ses joues se sont enflammées, ses membres se sont raidis, tout son corps a tremblé d'une convulsion subite ; il s'est précipité vers la fosse, il y a attaché un regard avide ; et quand on y a poussé le cercueil, et que les ais ont crié en glissant le long des cordes, ses bras, qui cherchaient un appui, se sont enlacés autour de moi : – Oh ! vous ne savez pas, s'écriait-il, vous ne saurez jamais ce que cette matinée me rappelle de tourments ! Vous ne savez pas qu'autrefois j'ai vu mourir et tomber ainsi sur la terre celle qui était, à elle seule, toute ma joie et tout mon amour, – ma sœur d'adoption, – l'amie de ma jeunesse, – l'épouse qu'on allait me donner. – Et il a perdu connaissance. Dès que nos soins empressés ont eu ravivé son cœur, je l'ai entraîné loin de cette scène d'affliction ; et, marchant à grande hâte du côté de la ville, nous ne nous sommes arrêtés qu'au détour de ce chemin d'où j'avais vu descendre le convoi, et lorsque le village s'est caché derrière le pied des coteaux boisés, comme sous un rideau.

Là, nous nous sommes séparés ; mais avant de me quitter, – en me pressant contre son sein avec une ferveur d'amitié dont j'étais tout enorgueilli, en me prodiguant des témoignages si affectueux de reconnaissance pour une action si simple, il s'est nommé ; et cet inconnu, vers qui mon cœur avait volé d'abord, – c'est l'époux d'Eulalie !

Quand je me souviens, après cela, qu'Eulalie avait cru découvrir quelques rapports entre nous ; et quand je me le représente avec sa physionomie de demi-dieu, il me semble que c'est une faculté qui a été accordée aux âmes tendres, en dédommagement de la vicissitude de nos affections, que de pouvoir retrouver partout des images de ce qu'elles ont aimé.

Le 9 septembre.

C'est encore ici une marque de la faiblesse de notre esprit, et de l'inutilité des efforts que nous employons à combattre nos penchants. Il m'est bien démontré que notre vie a été prévue et ordonnée avec toutes ses harmonies ; que toutes les habitudes, toutes les relations que nous contractons dans le commerce du monde sont des conséquences nécessaires de notre organisation ; et qu'il ne nous appartient ni d'expliquer ni de vaincre les sympathies dont nous nous trouvons quelquefois liés. Par quel autre ascendant que celui d'une fatalité toute-puissante ce ravisseur, qui m'a dépossédé de mes plus chères espérances, serait-il venu me séduire et me subjuguer, quand tout m'était odieux en lui, et que j'aurais voulu pouvoir mettre un monde entre nous deux ? N'est-il plus l'époux d'Eulalie, et Eulalie ne l'aimé-je plus ?

Qui empêchait cependant que je passasse ma vie entre eux ? Idée si riche en délices que ma faible imagination s'en étonne ! qui empêchait que je fusse son époux comme lui, et qu'elle nous partageât sa tendresse ? Une âme d'une sensibilité si vive et si tendre ne nous aurait-elle pas facilement confondus dans son amour ? et fallait-il que le bonheur des autres ne s'enrichît que de mes pertes et de mes douleurs ?

Il le faut avouer, c'est une condition bien digne de pitié que la mienne ! car tout maltraités du sort que soient la plupart des hommes, j'ai vu, du moins, qu'ils pouvaient se dédommager de la sévérité de leur fortune dans quelques sentiments consolants. Moi seul, sur cette terre misérable, je réunis toutes les misères de l'humanité ; et tout ce qui les charme ou les soulage m'est cruellement interdit. Mes affections les plus douces deviennent des tourments insupportables ; et sur mes lèvres, l'air même que je respire s'empoisonne depuis que Dieu m'a déshérité de sa providence !

Le 10 septembre.

Cependant il en a aimé, il en aime, il en regrette une autre. Il ne sait point l'aimer comme je l'aimais. Il ne rapporte pas à elle seule tous ses souvenirs, toutes ses pensées, toute sa vie ; et sur le sein d'Eulalie, il rêve un autre amour et une autre félicité. Désabuse-toi de ton bonheur, âme tendre et confiante ! Cet époux ne t'était pas destiné. Ses transports, ses soupirs, ses larmes ne sont point pour toi. Ce n'est point toi qu'il désire, qu'il cherche à son réveil ; mais celle que les prestiges de la nuit lui avaient montrée, et qui enchantait son sommeil adultère. Infortunée ! ce n'est point toi qu'il aime ! et de quel droit exigerait-il de toi l'affection qu'il ne peut plus te donner ? n'est-il pas nul l'engagement qui a violé tous les engagements du cœur, et qui a trahi la nature ?

Je pourrais donc - jamais. Cette idée a beau fermenter dans mon sein, - jamais ! Chimère ! illusions de ténèbres ! Que suis-je ? hélas ! un captif dont l'imagination s'est reposée un moment dans des songes voluptueux ; qui croyait marcher sur des routes de verdure et sous des bocages de roses ; qui ne s'occupait que d'espérances faciles et de pensées riantes, et qui retrouve tout-à-coup autour de lui ses chaînes et son cachot.

Quand je me vois ainsi séparé de tout bonheur par un océan sans rivage ; quand je me sens froissé, anéanti par le désespoir : quand j'observe comment toutes mes facultés se dégradent et s'irritent tour à tour dans cet état de convulsion et de douleur ; quand j'essaie de calculer jusqu'à quel point de légères modifications de circonstances ou de tempérament peuvent influer sur nos résolutions les plus graves, et que je réfléchis sur tant de misérables que le ciel a jetés, avec une sensibilité brûlante, au milieu des contraintes et des luttes de la vie, - je m'étonne moins de compter un si grand nombre de réputations écrites avec du sang, et je m'indigne des jugements insensés de la foule. Interrogez ces fiers, ces aveugles dispensateurs de gloire et de châtiments : ils ont tout apprécié, tout mesuré, tout prévu. Il n'est pas un crime, pas une pensée qui échappe à leurs lois, à leurs inquisitions, à leurs bourreaux ; - et cependant ils ne savent pas, ils ne sauront jamais combien est faible, étroite, imperceptible, la distance qui sépare un révolté de son empereur, et le supplice d'un proscrit de l'apothéose d'un demi-dieu.

Le 11 septembre.

Pour la seconde fois je l'ai vu, – j'entrais dans une maison étrangère ; on m'annonce, et M. Spronck vole à moi avec les marques de la plus vive affection. – Charles Munster ! a-t-il dit, hélas ! c'est donc vous ! – et il n'a point achevé ; mais son silence même parle à mon cœur. Il semblait me plaindre et se justifier ; il voulait se défendre de ma haine ! et moi, pendant ce temps-là, frémissant, interdit, et les yeux trempés de pleurs, j'ai été vingt fois tenté de me jeter à ses genoux, – ou dans ses bras.

Le 12 septembre.

Il y a des plaisirs que nous avons goûtés avec tant de délices, que nous croirions volontiers que le souvenir qui nous en reste doit suffire à nourrir notre cœur d'idées riantes et heureuses pendant tout le cours de la vie ; et quand nous nous retrouvons longtemps après dans les mêmes circonstances, il arrive cependant que ces émotions, si agréables et si regrettées, ont perdu presque tout ce qu'elles avaient d'ivresse. Nous nous plaignons alors de l'instabilité des choses de la terre ; et, parce que nous ne savons plus jouir de beautés qui nous transportaient, nous accusons follement la nature d'avoir changé.

Est-il rien de plus doux, disais-je, que de pouvoir, après de grandes traverses et des années d'exil et de douleur, se reporter par la pensée aux jours si purs de l'heureuse enfance ; que de revoir les lieux qui ont été le théâtre de nos premiers jeux, de nos premiers travaux et de nos premiers succès ; les perspectives qui ont exercé nos premiers crayons ; le toit natal et les domaines héréditaires ; que de reconnaître le champ que notre père a défriché, l'arbre dont il aimait l'ombrage, sa charrue, son foyer rustique et le lit de paix d'où il nous a bénis ? On se rappelle avec tant d'envie ce temps, riche d'ignorance et de simplicité, où une médiocrité laborieuse bornait nos désirs, et un horizon étroit notre univers ! Nous avons tant de fois souhaité de rassembler autour de nous tous ceux avec lesquels nous avons fait l'apprentissage de la vie, et nous espérions tant de ravissements dans leur entretien ! J'ai quitté Salzbourg pour venir réchauffer mon cœur à ce foyer d'innocentes voluptés ; et au lieu des consolations que j'y cherchais, tout ce que j'ai vu n'a servi qu'à redoubler mes chagrins. Plaisirs péniblement achetés que ceux qui ont de tels retours ! le bonheur passé peut donc être un tourment de plus !...

Je me figure un de ces anges réprouvés qui consument leur éternité dans d'inutiles repentirs. Quelquefois il s'élève pensif jusqu'aux confins de sa première patrie ; il contemple, avec une tristesse profonde, le ciel dont il a été banni et les biens dont sa rébellion l'a frustré : son infortune s'en augmente ; et, rugissant de désespoir, il se replonge dans les abîmes.

Le 14 septembre.

Combien de gens qui se plaignent de la monotonie de la nature, qui n'y voient que des tableaux stériles et fastidieux, qui pensent d'un coup d'œil tout apercevoir et tout embrasser, et qui ne devraient s'en prendre de l'imperfection de leurs jouissances qu'à la pauvreté de leur imagination et de leurs organes ; pendant que l'artiste gémit de l'impuissance de ses ressources et maudit ses toiles et ses palettes, quand il remarque tant de nuances inimitables, tant d'aspects mobiles, tant d'expressions variées dans le grand tableau de la superbe création. – Et quel sujet d'incertitudes pour lui que de voir un seul point de l'horizon modifié par toutes les influences des saisons, par tous les accidents de la lumière et par toutes les émotions de son propre cœur !

Je me suis arrêté ce matin sous un vieil orme autour duquel, à certains jours de fête, les jeunes gens, rassemblés par les simples concerts du ménétrier, faisaient briller à l'envi leur force et leur légèreté, tandis que les anciens du village, tout émus de délicieux souvenirs, se rappelaient entre eux quelque notable événement de leur jeunesse arrivé à pareil anniversaire. On a sans doute conservé cette tradition heureuse ; car j'ai vu, sur l'herbe foulée en rond, des fleurs éparses et des pâquerettes effeuillées. Heureux ceux-ci, du moins, qui sont encore fidèles à leurs premiers plaisirs et à leurs premières mœurs !

De cet endroit, la vue s'étend sur une immense vallée qui se creuse et se déploie avec grâce entre les revers des forêts, et dont l'aspect riant et calme enchante le cœur. Quelques ruisseaux bordés de saules s'égarent dans la plaine sans trop s'éloigner les uns des autres, se divisent en compartiments élégants, se cherchent et se fuient tour à tour, et les voici bientôt qui reviennent, tous ensemble, embrasser les bocages de leurs contours indécis. À droite, parmi des cabanes de paysans, on distingue les tourelles d'un château gothique dont les ailes ruineuses s'étendent pesamment sur une large plate-forme ; et, plus bas, la rivière qui sort tout-à-coup de derrière la colline comme si elle y avait pris sa source, et qui va se perdre ensuite, à de grandes distances, dans les fonds bleuâtres du ciel. Le pont qui la traverse au loin ressemble à un petit croissant noir appliqué sur un champ d'azur.

L'orient commence-t-il à se colorer des premières teintes du jour, tout est douteux, vague et indéfini. Le paysage, à peine ébauché, n'offre que des couleurs incertaines, des traits confus et des formes capricieuses. À mesure que le jour s'élève, les montagnes naissent, les perspectives se reculent, les plans se détachent et se caractérisent ; des nuées d'oiseaux de toute couleur parcourent l'air avec toutes sortes de vols et de ramages. Bientôt l'heure des travaux peuple les routes et les champs. L'agriculteur descend du hameau, le muletier suit ses charges et le pâtre ses brebis. Chaque heure qui s'approche amène d'autres scènes. Quelquefois un seul coup de vent suffit pour tout changer. Toutes les forêts s'inclinent, tous les saules blanchissent, tous les ruisseaux se rident, et tous les échos soupirent.

Le soleil descend-il, au contraire, vers l'occident, le vallon s'obscurcit, les ombres s'étendent. Quelques points plus élevés se font encore remarquer avec leurs reflets d'or parmi les nuages de pourpre ; mais ces lueurs mourantes ne brillent nulle part avec plus d'éclat que sur la surface de la rivière, qui se précipite étincelante, et enveloppe tout le couchant d'une vaste écharpe de feu.

La lune enfin s'ouvre-t-elle un passage dans les espaces du ciel : soit que sa lumière, tendre et craintive comme les regards d'une vierge, repose endormie sur les plaines ; soit qu'elle tremble sous les ombrages transparents ; soit qu'elle se déroule en gerbe ou se berce en réseau d'argent sur les vagues agitées, c'est alors qu'on croit trouver à tous les objets des charmes inexplicables et des douceurs infinies ; c'est alors que tous les bois ont des bruits religieux, des pompes et des secrets. Tous les aspects du ciel et de la terre prennent je ne sais quoi d'idéal. L'air est chargé d'émanations très pures et de parfums très agréables. Le son du cor, le tintement de la cloche lointaine, l'aboiement du dogue attentif qui veille au-devant de l'habitation de l'homme, un rien vous trouble et vous pénètre ; il semble que cette nuit imposante jette quelque chose d'imposant sur toutes vos sensations.

Que dis-je ? les inspirations superstitieuses et les rêveries crédules sont filles de la solitude et des ténèbres. Qui m'empêche de donner à ce château des habitants et des mystères ? de gémir sur le sort d'une épouse opprimée, qui se meurt dans ces souterrains, et d'évoquer sur ces tours les vieilles ombres de leurs anciens possesseurs ?

Ces chaumières ne peuvent-elles pas me cacher un couple de vrais amants qui ont préféré le simple toit de leurs pères, un petit champ cultivé par leurs mains, et des plaisirs sans regrets, à toutes les séductions de la ville ?

Rêvons, rêvons cette félicité dans ce qui nous environne, puisqu'elle ne doit jamais devenir notre partage.

Le 17 septembre.

Ce village n'est séparé de celui où j'ai vu Eulalie pour la première fois que par une hauteur plantée de différents arbres, entre lesquels on a placé mille petits sentiers. Soit prédilection, soit hasard, mes rêveries solitaires me ramenaient toujours à une jolie esplanade, tapissée d'une molle verdure, et que de larges érables recouvrent de leurs voûtes fraîches et ombreuses. Sur la pente de la colline, un clocher, noirci par un incendie encore récent, élevait sa tour enfumée du milieu de quelques masures grossièrement groupées en amphithéâtre, et sur les bords de la plaine on comptait quelques métairies avec leurs champs, et quelques maisons de plaisance avec leurs jardins.

Dans un enclos d'une coupe agréable et d'une exposition heureuse, j'avais souvent remarqué Eulalie s'égarant pensive à travers les vergers, et laissant flotter au gré des vents les plis de sa robe blanche et les ondes de sa chevelure ; ou venant, au déclin du jour, arroser d'une eau pure les fleurs de ses parterres, quand elles se penchaient toutes fanées des ardeurs du soleil, comme de touchants symboles d'une âme tendre qui se consume dans ses langueurs ; – et chaque fois un désir inquiet, un sentiment mêlé de trouble et de volupté se glissait dans mes veines et faisait bouillonner mon sang. Mon âme brûlait de s'allier, à travers l'espace, à l'âme de cette inconnue ; si elle s'éloignait, je la suivais de mes regards jusqu'à ce qu'elle m'échappât, je l'attendais jusqu'à ce qu'elle revînt ; et dès qu'elle paraissait, je cherchais à m'emparer de son image, à me l'approprier tout entière, à l'identifier avec moi pour ne la reperdre jamais. Fixe, debout, sans respiration, sans mouvement, sa présence était un mystère que je craignais de troubler. Quelquefois aussi de noirs pressentiments s'étendaient sur mon avenir comme un voile de douleurs ; et alors j'éprouvais un déchirement dans le cœur, un malaise partout. Des nuages de sang flottaient devant mes yeux, et m'offusquaient le ciel ; des larmes, tièdes et pesantes comme les premières gouttes d'une pluie d'orage, roulaient de mes paupières, et la terre fuyait sous moi. Voulais-je partir ? j'avais tout oublié, mon papier, mes crayons et mon Ossian.

Puis, je m'engageais au hasard dans le bois, et je me frayais des chemins nouveaux, en écartant des mains les branches humides et les arbrisseaux épineux. Je me plaisais à parcourir des lieux où l'homme n'a pas coutume de pénétrer, tant j'étais jaloux du sentiment qui remplissait mon âme, et tant il m'eût été pénible d'en être distrait ! Je parlais d'elle sous mille noms imaginaires ; je les gravais sur l'écorce ou sur le sable, et souvent j'y joignais le mien. Si quelque temps après je venais à passer dans le même endroit, et à reconnaitre ces chiffres, je palpitais de joie, comme si j'avais pu croire qu'elle les eût entrelacés elle-même. Souvent je courbais de jeunes arbres pour en faire des dômes de verdure ; ou bien je les arrondissais en portiques, j'en tressais les rameaux, et j'y suspendais encore de fraîches guirlandes de liane, avec leurs feuilles en fer de piques et leurs cymbales d'ivoire toutes brillantes de rosée.

Peut-être un jour, disais-je alors, je la conduirai sous mes berceaux, je la ferai passer sous mes voûtes de fleurs, et je la couronnerai de mes lianes. C'étaient les douces chimères et les illusions présomptueuses de l'amour sans expérience.

Aujourd'hui, j'ai voulu revoir tout cela ; mais la magie des beaux jours n'y est plus. La maison est abandonnée à de nouveaux propriétaires ; et ceux-ci, sans respect, ont ravagé ses parterres et arraché ses chèvrefeuilles. Ils n'ont rien épargné de ce qu'elle aimait : ce qu'elle aimait ! ces étrangers le savaient-ils ?

Cependant j'ai cédé au prestige de mes souvenirs avec tant de confiance et d'abandon, qu'avant de quitter l'esplanade je me suis machinalement détourné pour savoir si Eulalie ne venait pas. – Après quoi, en réfléchissant sur cette erreur, je me suis pris à pleurer ; mais combien plus amèrement, quand j'ai aperçu mes berceaux désolés et détruits par le vent, mes petits arbres abattus par la cognée, et la terre jonchée de leurs branches ! À cette dernière perte, si légère qu'elle paraisse, je me suis rappelé tout ce que j'avais perdu ; je me suis contemplé avec effroi dans ma solitude et dans ma misère ; sans amis, sans famille et sans patrie ; sans appui et sans espérance ; trahi par le passé, accablé du présent, et dépossédé de l'avenir ; abandonné d'Eulalie et du ciel ! Là même, j'avais autrefois résolu de consacrer à mon cher Werther une fosse couverte d'herbe ondoyante, comme il l'a souvent désirée ; et aujourd'hui j'ai senti une secrète envie d'y creuser bientôt la mienne. C'est une destinée si cruelle que de mourir loin de ce qui nous fut cher, – et de laisser le soin de sa sépulture à la pitié d'un passant !

Le 24 septembre.

Oui, au feu qui parcourt mes veines, je sens qu'il n'y avait de bien pour moi sur la terre que dans cette autre moitié de moi-même, dont le sort injuste m'a séparé ! Et qui me rendrait ces jours de délices et de gloire ? Quel dieu me fera revivre ce passé jaloux qui a dévoré mon avenir ? Ce temps, hélas ! où mon cœur était inondé d'affections si heureuses ! où toutes mes facultés jouissaient d'une activité si puissante ; où, à sa seule approche, au seul bruit de sa voix, au plus petit frémissement de sa robe, je sentais la vie prête à me manquer partout, et mon âme se renverser dans tous mes nerfs ; où je me plaignais de n'avoir pas assez de forces pour suffire à mon bonheur, ou pas assez d'amour pour y succomber ! Qu'il m'eût été doux de finir ainsi, et d'exhaler mon dernier soupir dans cette béatitude ! Pourquoi n'osai-je pas la ceindre de mes bras, la ravir comme une proie, l'entraîner hors de la vue des hommes, et la proclamer mon épouse devant le ciel ? Ou si ce désir même est un crime, pourquoi s'est-il si étroitement uni au propre sentiment de mon existence ; que je ne puis plus l'exiler sans mourir ? Un crime ? ai-je dit. Dans des jours de barbarie, dont le souvenir est lié à toutes les idées d'ignorance et de servitude, le vulgaire s'est avisé d'écrire ses préjugés, et il a dit : voici des lois ! Étrange aveuglement de l'humanité, spectacle digne de mépris, que celui de tant de générations gouvernées par les caprices d'une génération éteinte, et de tant de siècles, dont un siècle obscur a décidé !

Après avoir longtemps gémi sous le poids de ces odieuses contraintes, qui ne voudrait abréger le pénible essai de la vie, si cette joie restait du moins en notre puissance ? Mais le ciel et les hommes s'accordent à nous la défendre, et nous ne nous affranchissons de nos jours que pour recommencer la douleur. Elle veille à la porte des tombeaux, comme ces monstres qui se nourrissent de cadavres ; elle nous désenchante du sommeil de la mort, et s'empare de notre éternité comme d'un héritage. Quel que soit cependant le terrible avenir, l'avenir de sang et de larmes que vous gardez à vos réprouvés, souffrez, souffrez, ô Dieu ! qu'Eulalie me soit un moment rendue ! qu'un seul moment ce cœur palpite contre son cœur ! que ma faible existence puisse s'évanouir dans l'ivresse de ses regards et de ses baisers ! que je meure dans son amour. - Et un enfer à ce prix !

Le 9 octobre.

C'est une chose admirable et pleine de charme que de suivre un grand génie dans sa course, d'être en quelque sorte associé à ses découvertes, et de parvenir avec lui à des distances auxquelles on n'aurait jamais pu atteindre sans guide, comme le navire accoutumé à des voyages de peu de cours, quand un pilote habile le fait cingler tout-à-coup au milieu des mers immenses et vers des ports inconnus. Ainsi notre imagination entraînée dans le sublime essor de ta muse, ô divin Klopstock, et parcourant sur ses pas les espaces que tu as peuplés, s'étonne des miracles qui l'entourent, et s'arrête saisie d'effroi. Avec quelle magnificence tu rassembles sous nos yeux tout ce que la poésie a de merveilles ; soit que tu nous introduises dans les conseils du Très-Haut, quand les premiers-nés des anges célèbrent les mystères du ciel, et que les chérubins, pénétrés d'une religieuse frayeur, se voilent de leurs ailes d'or ; soit que tu perces devant nous les voûtes ténébreuses des enfers ; que tu évoques, avec une autorité incroyable, ces puissances déchues qu'une éternelle vengeance poursuit de tourments éternels, et que tu nous les montres frémissant sous le poids de leurs chaînes brûlantes et de leurs rochers foudroyés ; soit que tu nous transportes au grand sacrifice de Golgotha, quand le créateur du monde se dévoue aux angoisses de la mort pour racheter ses bourreaux !

Mais la lecture de la Bible m'offre encore de plus délicieuses jouissances. Il n'est point de circonstance dans la vie de l'homme où elle ne mêle quelque douceur ; point de revers qu'elle ne solennise, point de prospérité qu'elle n'embellisse : voilà le caractère que devait avoir un livre émané du ciel même.

Souvent, quand la nature, dans tout l'éclat de sa parure automnale, et avec toutes ses forêts diaprées d'or et de pourpre, sourit au soleil couchant, je m'assieds sur la pente d'un coteau, sous quelque vieux chêne, et je relis les bucoliques ingénues des premiers temps, la naïve histoire de Ruth et les chants d'amour de Salomon. D'autres fois, sous les arches gothiques d'une église en ruine qui élève ses tours solitaires dans le vallon, j'écoute ; – et, dans le gémissement des vents, qui grondent au travers de ses murailles, comme des voix d'airain, je crois saisir la parole prophétique d'un Daniel ou d'un Jérémie. De temps en temps sur la fosse de mon père, et à l'ombre mélancolique des arbres que j'y ai plantés, je me rappelle, avec des pleurs très abondants, l'histoire de Joseph et de ses frères ; car moi aussi qui voyais des frères dans tous les hommes, j'ai été vendu par eux, et ils m'ont envoyé dans un exil lointain. Mais plus souvent, quand la nuit, voilée de crêpes obscurs, s'avance dans ses voies silencieuses, – debout, sur un rocher couvert de mousse, je répète avec Job, dans toute l'effusion de ma douleur, ce cri profond de l'âme désabusée : –

Pourquoi la lumière a-t-elle été donnée à un misérable, et la vie à ceux qui sont dans l'amertume du cœur ?

Le 10 octobre.

De dépit je briserais volontiers mes pinceaux, quand je pense à quel point la nature de ce triste Occident est chétive et disgraciée ! – quand je rêve ces climats favorisés, ces ciels purs et ce soleil sans nuages du magnifique Orient, et que j'erre, en idée, sous les huttes nomades et patriarcales des pastorales oasis, ou parmi les monuments augustes de la vieille Égypte ; quand le magnanime habitant de ces régions heureuses s'élève à mes yeux dans toute l'énergie de sa première grandeur et de ses formes originaires ; – tandis que j'observe ici comment on a comprimé toutes les forces et restreint toutes les facultés ; – lorsqu'il me semble voir cet Arabe, seul avec son coursier, qui respire, comme lui, toute la liberté des solitudes ; lorsqu'il me semble, dis-je, le voir franchir les sables torrides, ou bien se reposant sous l'ombrage réparateur de ses palmiers : – en rassemblant ces traits devant ma pensée, je me plains quelquefois à la Providence qu'elle m'ait exilé sur une zone froide, au milieu d'une création timide, et si loin des superbes regards du soleil inspirateur ; – et je m'écrie : Pourquoi les hommes m'ont-ils fait leur captif, et pourquoi m'ont-ils amené prisonnier dans leurs cités ? vous l'eussiez vu ce lion, dans le désert, se jeter sur la terre altérée, oublier qu'elle brûle, et la goûter longtemps entre ses dents.

Dans le désert, ai-je dit ; – car dans les liens de fer de la société, et sous le poids de ses institutions ignominieuses, – pauvres esclaves que nous sommes ! – nos organes lassés ne pourraient pas supporter longtemps l'éclat de cette nature exubérante. Ses riches prodigalités ne sauraient appartenir à l'homme qui s'est laissé dégrader de la dignité de son espèce, et qui a lâchement trafiqué de son indépendance. Et comme elle se sent profondément humiliée, l'âme généreuse qui a engagé toutes ses forces dans ce contrat, quand elle vient à savoir à quel prix, et pour quels pitoyables avantages, elle en a fait le sacrifice ; quand elle se trouve subjuguée par l'ascendant audacieux de ses insolents dominateurs, et qu'elle se reporte à ces âges fortunés de la jeunesse du monde, où les sociétés circonscrites dans l'étroite enceinte des familles ne reconnaissaient d'autres pouvoirs que ceux qui ont été conférés par la Divinité, d'autre chef que celui qu'elles tenaient de la nature !

C'est alors qu'on sent le besoin de choisir parmi les harmonies de la terre celles qui ont une affinité plus particulière avec notre misérable condition ; c'est alors, et je l'ai souvent éprouvé, qu'on préfère à la pompe radieuse du soleil les douteuses clartés de la lune et les mystères de la nuit ; à l'appareil des étés, aux grâces du printemps, aux opulentes faveurs de l'automne, la triste nudité de l'hiver, les brises froides et les noirs frimas.

Ainsi, quand mon âme vint à se détacher de ses jeunes illusions, et qu'elle ne trouva plus rien qui pût la fixer parmi les hommes, elle épia les secrets des ténèbres, et les joies silencieuses de la solitude ; elle s'égara dans les demeures de la mort, et sous les gémissements de l'aquilon ; elle aima les ruines, l'obscurité, les abîmes, – tout ce que la nature a de terreurs ; et voilà comment elle a étudié en elle-même quelques-uns des caractères de l'infortune.

Oui, je le répète, l'hiver dans toute son indigence, l'hiver avec ses astres pâles et ses phénomènes désastreux, me promet plus de ravissement que l'orgueilleuse profusion des beaux jours. J'aime à voir la terre dépouillée de sa parure féconde, et nageant dans ses horizons brumeux comme dans une mer de nuages. Au milieu de ces grandeurs évanouies et de cette végétation réprimée, tout semble prendre des voix gémissantes et des aspects funèbres, tout devient sévère et terrible. À travers les voiles grisâtres, et les nuées formidables dont il est enveloppé, on prendrait le soleil pour un météore qui s'éteint. Les rivières n'ont plus de frissonnement ; les forêts n'ont plus d'ombrage ni de murmure. On n'entend que le cri de la branche morte qui se rompt et le bruissement des vents qui se glissent en sifflant sous les landes sèches. – Plus de verdure que celle du lierre, qui déploie ses larges tentures sous les parois des rochers, qui les attache aux murailles rustiques ou les roule autour des vieux chênes, et celle du houx au feuillage armé, qui groupe ses bouquets épineux sur la lisière des bois. Seulement, quelques sapins dessinent çà et là, contre la neige des montagnes, leurs obélisques foncés, comme autant de monuments dédiés à la mémoire des morts… – Et vous voyez de temps en temps, dans le lointain, des voyageurs qui traversent précipitamment la plaine, – ou des pèlerins qui prient sur une tombe.

Le 17 octobre.

Après des pluies abondantes, un torrent large et rapide, grossi de tous les ruisseaux et de toutes les ravines, descend du haut de nos montagnes, tombe avec le bruit de la foudre, s'élance furieux dans la plaine, la remplit d'épouvante et de désastre, brise, envahit, dévore tout ce qui contrarie son passage, et, chargé d'arbres déracinés, de rocs et de décombres, il roule, et se précipite en grondant dans la Salza.

Si vous trouvez par hasard, sur ses bords, quelque bouquet de peupliers, qui oppose doucement sa tranquille majesté à l'agitation véhémente de l'onde, votre âme s'ouvre à des pensers graves et religieux ; et vous méditez tristement sur ces vaines grandeurs du monde, qui apparaissent tout-à-coup, comme le torrent, sans qu'on en sache la source ; qui, comme lui, s'écoulent avec beaucoup de bruit et de ravages, et comme lui, s'abîment sans laisser de nom !

Quant à moi, je souris de pitié aux soins puérils que les hommes se donnent, pendant que le temps emporte dans son avenir toujours naissant le court présent dont ils jouissent ; et je sens mes peines s'adoucir, en considérant que la vie n'est qu'un moment qui fuit au milieu de l'immense éternité.

Le 19 octobre.

Cette nuit, - je me trouvais dans cette situation indéfinissable, qui n'a presque rien de l'activité de la vie, mais qui n'est pas tout-à-fait le sommeil. Je crus entendre une musique très mélodieuse, d'une expression suave et touchante, et dont les sons étaient modulés avec tant de douceur, que la harpe elle-même n'a point d'accents plus tendres et plus séduisants. Vous auriez dit quelques concerts angéliques ! mais leur harmonie inconstante et capricieuse ne multipliait mes joies fugitives que pour multiplier mes regrets ; et je l'avais à peine saisie, qu'errant au gré de tous les souffles de l'air elle m'échappait de nouveau. Enfin, avec une cadence gémissante qui retentit profondément dans mon âme, elle cessa, et je n'entendis plus qu'un bruit sourd, à peu près pareil à celui d'un fleuve éloigné. Alors une main froide s'imprima pesamment sur mon cœur ; un fantôme se courba vers moi, en me nommant de sa voix grêle ; et je sentis que le souffle de sa bouche m'avait glacé. Je me détournai, et je pensai voir mon père, - non tel qu'il me paraissait jadis, - mais d'une forme vague et sombre, pâle, défiguré, l'œil enfoncé, la prunelle sanglante, et les cheveux épars comme un petit nuage ; puis il s'éloigna, devenant à chaque pas moins distinct, et décroissant dans l'obscurité, comme une lumière prête à s'éteindre. Je voulus m'élancer pour le suivre ; mais, au même instant, cette lumière, cette voix, ce fantôme, tout s'évanouit avec mon rêve, et je n'embrassai que les ténèbres.

Le 23 octobre.

Puisqu'il est vrai que, dès le commencement de ce court passage de la vie, tout ce que nous avons vu autour de nous ne nous a laissé que des regrets, heureux le sage qui s'enveloppe de son manteau, qui s'abandonne à son esquif, et qui ne tourne plus les yeux vers le rivage ! – Mais ce courage difficile ne m'a pas été donné.

Je m'étonne moi-même des irrésolutions de mon cœur et de l'aveugle facilité avec laquelle il embrasse tous les jours d'autres chimères. Tout ce qui a une apparence de nouveauté le séduit, parce qu'il ne sait rien de pire que son état ordinaire, et qu'il se fie au changement. Il veut des émotions inégales et distraites, une manière d'être diverse et fortuite, parce qu'il a observé qu'il gagnait plus sur ce qu'il laissait au hasard que sur ce qu'il donnait à la prévoyance. Telle est pourtant son inquiétude, qu'au milieu des agitations qu'il cherchait il désire encore le repos, uniquement, peut-être, parce que le repos est autre chose que ce qu'il éprouve habituellement ; mais il ne tarde pas à se fatiguer du repos lui-même. Il ne voit le bonheur que loin de lui ; et dès qu'il croit l'avoir vu quelque part, il brise, pour atteindre à ce point, les nœuds qui l'attachaient ailleurs ; plus heureux, du moins, s'il pouvait les briser tous ! – Qu'arrive-t-il, cependant ? Avant que la route qui nous mène au but désiré soit parcourue à demi, le prestige cesse et le fantôme s'envole, en se jouant de nos espérances. Dieu me préserve d'exister longtemps de cette manière !

Me rapprocher d'Eulalie ! – disais-je ce matin ; – oui, vivre près d'elle ! habiter où elle habite ! respirer l'air qu'elle respire ! – Et, depuis ce temps-là, tout ce que je vois ici m'importune.

Le 30 octobre.

L'autre jour, je m'étais presque involontairement acheminé vers Salzbourg ; mais dès que j'aperçus la forteresse de la montagne, les flèches des églises, les dômes des palais, et dès que je pus renouer la sensation que j'éprouvais avec tous mes souvenirs, je me trouvai si puissamment entraîné, qu'à quelque prix que ce fût, je n'aurais pas changé de direction. Cependant la nuit s'approchait, et les brumes épaisses et pluvieuses de cette saison avaient hâté les ténèbres. J'avais besoin, d'ailleurs, de recueillement et de liberté, et je ne voulais entrer dans la ville qu'après avoir exercé mon âme à supporter les agitations qui la menacent. Je m'emparais avec volupté de cette nuit longue et rigoureuse où rien ne limitait plus l'indépendance de ma pensée. Tous ces tableaux que le jour anime et colore, tout ce qui me rappelle la vie, me froisse et me contraint. S'il y a en moi quelque activité toute-puissante ; si je me sens quelquefois une force au-dessus de l'homme, c'est dans l'isolement de la nuit et dans la contemplation des tombeaux. Toutes les idées sublimes naissent du cœur, et le cœur de l'homme est sombre et souffrant.

En passant dans le village où j'ai vu enterrer Cordélia, où j'ai rencontré le mari d'Eulalie, – je pénétrai dans le cimetière par les brèches de la muraille. L'obscurité était profonde. Les hiboux de la vieille église pleuraient ou sifflaient sur les corniches. La cloche, lentement vibrée par le vent, rendit des sons plaintifs, et je ne sais quels accents lugubres s'élevèrent auprès de moi. Alors un homme s'élança sur mon passage ; puis, s'arrêtant tout-à-coup, et laissant reposer sa tête sur son sein, il nomma tristement Cordélia. – C'était Guillaume, et le ciel me permit de lui donner quelques consolations ; car la voix des malheureux parvient facilement au cœur des malheureux ; et on a dit que ceux qui avaient beaucoup souffert savaient des paroles pour charmer la douleur. Nous conversâmes longtemps.

« Si j'avais voulu, me dit-il, – la vie est facile à quitter, et les jours de l'homme se dépouillent comme un vêtement. – Mais, vous le dirai-je ? il était minuit ; j'étais assis sur ces pierres, et prêt à briser ce fragile talisman de l'existence, je m'égarais dans la contemplation des temps, je les embrassais de ma pensée. Déjà tous les événements écoulés se succédaient devant ma mémoire, comme les réminiscences d'un rêve ; mais j'aspirais encore à l'avenir ; et cet avenir incertain, je le peuplais de mes chimères : quand, tout-à-coup, – une idée horrible me frappa ! Écoutez ce que le ciel m'avait inspiré. L'avenir ! m'écriai-je ; et de quel droit, misérable suicide, oses-tu compter sur l'avenir ? Tu as voulu cesser d'être avant ton heure ; et qui sait si ta punition ne sera pas de n'être jamais ? Tu t'ouvres une issue pour échapper aux douleurs de la vie ; mais qui sait si tu ne te fermes pas l'éternité ? Cordélia, cependant, la plus pure des filles de la terre, t'attendait parmi les justes ; et, avec une joie ineffable, elle se préparait à t'initier aux délices du ciel... Mais celui qui a détruit l'image de Dieu ne vivra plus ; il a semé la mort, et il recueillera le néant.

« Depuis, j'y ai beaucoup réfléchi, reprit Guillaume après un moment de silence ; je crois que celui qui se donne la mort a trompé l'intention de la Divinité ; et, en réfléchissant à cette foule de relations qui rattachent l'homme à tous les objets d'ici-bas, je l'ai considéré comme le centre d'une multitude d'harmonies qui naissent et qui périssent avec lui, de sorte qu'il ne peut tomber sans entraîner toute une création dans sa chute, et que le dernier soupir qu'il exhale met en deuil toute la nature. En méditant sur ces choses, j'ai reconnu que la suprême vertu était à aimer ses semblables, et la suprême sagesse, à supporter sa destinée.

» Je sais pourtant que la raison de l'homme est un roseau qui cède à beaucoup d'orages ; moi-même, hélas ! j'ai péniblement appris qu'il est difficile de lutter avec la douleur, quand on ne lui oppose pas l'absence et surtout la religion ! C'est pourquoi j'ai résolu de m'exiler d'ici et de chercher ailleurs une tombe. Il y a auprès de Donnawert un monastère ancien, dont les murailles sont baignées par le Danube, et auquel on arrive par un bois de sapins d'un aspect triste et formidable. Ce lieu est plein de mystères et de solennité ; et l'âme s'y abandonne à des sentiments d'un ordre si sublime, qu'ils absorbent, dit-on, par un privilège miraculeux, toutes les anciennes émotions de la vie. Ce monastère sera mon asile. »

Le jour nous surprit dans cet entretien. Le soleil se levait derrière la tour de l'église et la couronnait de ses rayons comme d'une pâle auréole ; l'air était chargé de vapeurs humides, et à travers le brouillard dont nous étions enveloppés, on aurait pu nous prendre pour des ombres qui erraient, avec leurs robes de nuages, au milieu des sépultures. Je compris qu'il était l'heure de se séparer ; j'embrassai tendrement Guillaume, et je franchis les murs du cimetière.

Mais, en entrant à Salzbourg, - je ne sais quel pressentiment affreux !... - mon cœur s'est serré, mes yeux se sont obscurcis, et le sentiment de ma vie est demeuré suspendu.

CONCLUSION

C'est ici que finit le journal de Charles Munster. Il paraît qu'il eut à éprouver des agitations si violentes qu'il ne lui resta pas même la force de s'en rendre compte ; et nous ne retrouvons de lui que des notes de peu d'importance sur ses relations multipliées avec Guillaume, jusqu'au départ de celui-ci pour le couvent de Donnawert. Ce que nous allons ajouter à ces mémoires est écrit d'une autre main dans l'original.

Depuis longtemps la mélancolie de M. Spronck n'avait fait qu'augmenter : il avait entendu parler de Charles Munster avant son mariage ; il le croyait mort quand il épousa Eulalie, et à la nouvelle de son retour, il pressentit tout ce que ces infortunés auraient à souffrir. L'événement qui lui représenta d'une manière si vive la perte qu'il avait faite peu d'années auparavant, et qui remit sous ses yeux la pompe funèbre de sa prétendue, porta les derniers coups à son cœur ; poursuivi du sentiment de ses propres douleurs et de celles dont il était l'occasion, son caractère contracta quelque chose de sinistre et d'effrayant. Les soins d'Eulalie elle-même envenimaient ses chagrins ; et quand elle s'approchait de lui avec un regard plein de tendresse et de douceur, il détournait tristement les yeux et la repoussait en gémissant. Vers ce temps-là, le hasard lui apprit que Charles, qu'on avait cru reparti pour des pays lointains, était revenu à Salzbourg, après avoir passé quelques semaines dans son village natal. Cette nouvelle sembla d'abord lui apporter beaucoup de consolations ; mais le soir même son état empira tout-à-coup, son teint se plomba, ses yeux s'égarèrent, toute sa force l'abandonna, et on s'attendait à chaque instant à le voir expirer, quand Charles arriva au monastère, où une lettre du malheureux époux d'Eulalie l'avait mandé. M. Spronck était étendu, sans connaissance et presque sans vie. Eulalie, à genoux devant son lit, baignait ses mains de pleurs, et une lampe qui allait s'éteindre jetait seule quelque lumière sur cette scène de douleur. Au bruit de la porte qui s'ouvrait, le mourant donna des signes d'existence ; la vue fixe et la physionomie immobile, il était dans la situation d'un homme qui sort d'un songe pénible, et qui cherche à réconcilier ses sens avec les objets qui l'entourent. Enfin il parut frappé d'un puissant souvenir, et il prononça, d'une voix forte et empressée, le nom de Charles Munster. À peine l'eut-il nommé, qu'il le reconnut à quelques pas ; et aussitôt il le salua avec un sourire si tendre et si paternel, que Charles attendri se laissa tomber à genoux devant lui. Alors M. Spronck imposa ses mains sur son ami et sur sa femme ; et après avoir rassemblé toutes les puissances de son âme, il leur peignit d'une manière touchante les adversités qui avaient empoisonné sa jeunesse, la grandeur de ses pertes, la douleur de ses épreuves, et surtout l'acharnement de cette fatalité funeste qui les avait enveloppés tous deux dans les horreurs de sa propre destinée. Il leur demanda grâce du mal involontaire qu'il leur avait fait ; il leur parla de sa fin prochaine ; et les enlaçant de ses bras, il termina en ces termes : - Soyez heureux, dit-il, - maintenant que ma misérable vie ne peut plus y porter d'obstacle ; soyez heureux, maintenant que je vais rendre à la terre ce cœur brisé de désespoir ; soyez heureux, et n'ayez point de regret aux jours que le sort m'avait peut-être encore réservés ; car je ne pouvais pas en espérer de plus doux que celui-ci, où il m'est permis de vous léguer un avenir sans alarmes, et de vous dédommager des peines que je vous ai causées. En permettant que ma mort fût un bienfait pour ceux que j'aime, le ciel avait placé dans ma mort la seule joie que je dusse goûter ici-bas. Il me pardonnera sans doute d'en avoir hâté l'heure, et il ne me condamnera pas, - comme les hommes ! Aimez-moi, du moins, et pardonnez-moi.

À ces mots, sa poitrine se souleva avec un grand effort, son corps se roidit, et la parole expira sur ses lèvres. Eulalie s'échappa de la chambre en poussant des cris affreux, et Charles perdit connaissance. Quelque temps après, celui-ci reprit ses sens, mais la lampe ne brillait plus, et il ne lui restait, de tout ce qui s'était passé, que des idées vagues et incertaines comme les illusions de la nuit. Il étendit les bras en tâtonnant, et rencontra un corps immobile et froid. Les hommes qui venaient chercher cette dépouille pour le tombeau le reconduisirent à Salzbourg.

Les profondes impressions qu'il avait reçues n'étaient pas de nature à s'effacer promptement. Un mois entier se passa sans que son âme se fût remise de ces violentes émotions. Dans ce temps-là on lui apporta une lettre d'Eulalie ; au seul aspect de cette écriture si chère, il changea d'abord de contenance et de couleur ; ses joues s'enflammèrent ; toute sa vie se fixa dans ses yeux, et à l'inquiétude qui l'agitait, on aurait vu aisément qu'il était balancé entre la crainte d'apprendre son sort et le tourment de l'ignorer. Enfin il reprit peu à peu du calme et de l'assurance. Il s'était attendu à tout ; et une résolution qui l'occupait secrètement le détourna de sa douleur. Eulalie lui déclarait, comme il l'avait prévu, qu'elle ne pouvait envisager sans horreur l'idée de passer à un nouvel engagement après la mort volontaire de son premier mari ; qu'elle augurait assez bien de lui-même pour être certaine qu'il ne voudroit jamais d'un bonheur qui aurait coûté si cher, si toutefois il était permis d'appeler heureuse l'union qui dépendrait d'une telle cause et qui entretiendrait de telles pensées ; que profiter du généreux attentat de M. Spronck, c'était se le rendre personnel, et en appeler sur soi la punition ; qu'il leur convenait, au contraire, de passer leur vie à l'expier, et de se placer, comme de justes holocaustes, entre la colère de Dieu et cette ombre dévouée qui allait se livrer à ses châtiments. Elle finissait par lui dire que le jour où cette lettre lui parviendrait, elle se serait déjà séparée du monde par une barrière qu'il n'est plus possible de franchir quand on l'a fermée derrière soi, et qu'elle entrait en religion. Charles recommença plusieurs fois cette lecture avec la même résignation ; puis il ferma la lettre, y imprima un ardent baiser, et l'attacha sur son cœur à un ruban qu'il avait eu jadis d'Eulalie. Ensuite il écrivit à Guillaume pour lui faire part du projet qu'il avait formé de se retirer chez les moines de Donnawert ; et il disposa de son patrimoine en faveur de quelques pauvres familles de Salzbourg ; car il ne lui restait plus de parents.

Il se mit en voyage un des premiers jours de janvier. Quand il fut arrivé auprès du couvent d'Eulalie, qui est à une lieue de la ville, il s'assit devant les murailles du cloître, et il s'y arrêta plusieurs heures ; mais il ne vit et n'entendit rien. Quelques personnes de sa connaissance passèrent devant lui sans qu'il les aperçût. Il avait les cheveux épars, la barbe longue, le teint hâve, les yeux égarés ; et, malgré la rigueur de la saison, il ne portait pour vêtement qu'une espèce de tunique grossière, fermée sur la poitrine avec une ceinture de laine. La neige, balayée par le vent, roulait en tourbillons sur sa tête, et un aquilon glacé sifflait dans les plis de sa robe. Enfin, au déclin du soleil, il se leva de cette place et s'éloigna d'un pas précipité. Le ciel était devenu plus pur, la lune se leva sans nuages ; la nuit fut calme.

Peu de jours après, la température changea encore et tourna aux pluies ; les neiges et les glaces fondues tombèrent des montagnes, et grossirent toutes les rivières. Tous les travaux furent arrêtés, toutes les routes désertes. Vers cette époque, cependant, on vit Charles dans un village assez voisin de Donnawert ; il fut rencontré par une noce rustique. Son visage était en partie voilé de sa chevelure ; ses pieds étaient nus, et son habillement tombait en lambeaux. Il eut occasion de parler à quelqu'un : sa voix, ses gestes, ses regards annonçaient une profonde aliénation d'esprit. Il est probable que la solitude avait laissé plus d'activité à la douleur, et que sa raison, mal guérie des fortes atteintes qu'elle venait d'essuyer, y avait enfin cédé. On ajoute que quelques âmes compatissantes s'efforcèrent de le retenir, en lui faisant observer que les environs du village étaient impraticables, et qu'il ne serait pas sans danger pour lui de poursuivre son voyage ; mais il s'obstina dans sa résolution.

Le lendemain, le Danube déborda.

Cependant Guillaume s'étonnait que Charles n'arrivât pas ; et il comptait impatiemment les jours écoulés, depuis le jour où son ami était attendu. Mais ses regrets s'accrurent encore, quand il vit que l'inondation, parvenue jusqu'au pied du monastère, devait couvrir toute la campagne et rompre toutes les communications. Tantôt il regardait d'un œil inquiet cette mer presque immobile ; tantôt il la suivait dans ses décroissements, en se flattant qu'elle n'avait plus qu'un faible espace à parcourir pour redescendre dans ses limites ; et à mesure que les terres commençaient à s'élever çà et là comme de petites îles, son cœur renaissait à l'espérance. Une fois, parmi les débris dont le fleuve était chargé, il crut apercevoir je ne sais quoi d'informe et de livide, que les flots venaient heurter contre leurs grèves et contre leurs récifs, et qui, tour-à-tour englouti et repoussé, finit par échouer sur un banc de sable où l'onde l'abandonna tout-à-fait.

Poussé par une curiosité vague, mais invincible, il descendit du cloître, il traversa l'église, et, arrivé au-dessous des murs, il reconnut l'objet qui l'avait frappé. Il s'approcha, et tressaillit d'horreur. Un cadavre presque nu, pâle, déchiré, couvert de meurtrissures et de fange, les membres crispés, la tête pendante, les cheveux raides et sanglants, et à travers le désordre de ses traits défaits et souillés, un aspect plein de noblesse encore et de douceur : – c'est ainsi que Charles Munster s'offrit à sa vue. Guillaume alors, sans pousser une plainte et sans verser une larme, étendit sa robe noire sur ce corps privé de vie, l'enveloppa, le chargea sur ses épaules, et rentra dans le monastère. Il s'y arrêta sur le parvis du grand escalier ; et après avoir déposé son triste fardeau, il convoqua, au bruit de la cloche, les religieux du couvent. Quand ceux-ci furent rassemblés autour de lui, et qu'il les vit disposés à l'entendre, il souleva brusquement le voile sous lequel Charles était caché, et, d'une voix pénible et douloureuse, il dit : C'est ici Charles Munster. Mais la parole expira sur ses lèvres, il sentit ses forces défaillir, et il tomba sur le cadavre. En rouvrant les yeux, il n'aperçut plus qu'un frère qui lui apprit que la communauté n'avait pas cru devoir accorder à l'étranger la sépulture catholique ; et que, dans le doute qui restait sur la nature de sa mort, elle craindrait de transgresser ses devoirs, en entourant le cercueil de cet infortuné des pompes de la religion.

À ces mots, il reprit son ami entre ses bras, et retourna silencieux sur le rivage, où il lui creusa une fosse. Au-dessus, il avait placé un bloc de pierre, et il y avait gravé une courte inscription ; mais le premier coup de vent chargea l'inscription de sable et de poussière, et le premier débordement du Danube entraîna la pierre, la fosse et tout.

Guillaume mourut l'année suivante.

Eulalie existe ; elle a maintenant vingt-huit ans.

LE SUICIDE ET LES PÈLERINS, IMITÉ DU CHANT DE SCHWARZBOURG

UN PÈLERIN.

Qu'est devenu l'étranger
Qui respirait l'amour, la liberté, la gloire ?
Quels bords ont recueilli son esquif passager ?
Son nom s'est-il éteint sans laisser de mémoire,
Ainsi qu'un rêve léger ?

UN JEUNE ERMITE.

Sa jeunesse fut rapide ;
Le feu qui l'animait n'a brillé qu'un moment,
Et voici que l'onde avide
Roule sur son monument.
Il a dit à la mort : Vous êtes mon égide !
Il a dit au sable humide :
Vous serez mon vêtement.

LE PÈLERIN.

Qu'est-il resté de lui ?

L'ERMITE.

Sa dépouille livide.
Et quelque pâle ossement.

LE PÈLERIN.

En vain l'humble violette
S'enrichit d'appâts naissants :
Sa vapeur tendre et discrète
Ne charmera plus tes sens.
En vain l'aube matinale
Ouvre ses portes d'opale
Au char pompeux du soleil :

Jamais sa douce lumière
N'affranchira ta paupière
Des froids liens du sommeil.

LES PÈLERINS.

Quand ils s'éveilleront aux lueurs de la foudre,
Les morts des temps écoulés ;
Quand leurs fronts sourcilleux diviseront la poudre
De ces mondes écroulés,
Ô père de la nature,
Retiens sur la sépulture
De ta faible créature
Ton courroux prêt à tonner ;
Et si l'âme du transfuge
Va demander un refuge
Entre les bras de son juge,
Souviens-toi de pardonner !

LES MÉDITATIONS DU CLOÎTRE
1803

L'existence de l'homme détrompé est un long supplice ; ses jours sont semés d'angoisses, et ses souvenirs sont pleins de regrets.

Il se nourrit d'absinthe et de fiel ; le commerce de ses semblables lui est devenu odieux ; la succession des heures le fatigue ; les soins minutieux qui l'obsèdent l'importunent et le révoltent ; ses propres facultés lui sont à charge, et il maudit, comme Job, l'instant où il a été conçu.

Chancelant sous le poids de la tristesse qui l'accable, il s'assied au bord de sa fosse ; et dans l'effusion de la douleur la plus amère, il élève ses yeux vers le ciel, et demande à Dieu si sa providence l'abandonne.

Si jeune encore et si malheureux, désabusé de la vie et de la société par une expérience précoce, étranger aux hommes qui ont flétri mon cœur, et privé de toutes les espérances qui m'avaient déçu, j'ai cherché un asile dans ma misère, et je n'en ai point trouvé.

Je me suis demandé si l'état actuel de la civilisation était si désespéré, qu'il n'y eût plus de remède aux calamités de l'espèce, et que les institutions les plus solennellement consacrées par le suffrage des peuples eussent ressenti l'effet de la corruption universelle.

Je marchais au hasard, loin des chemins fréquentés ; car j'évitais la rencontre de ceux que la nature m'a donnés pour frères, et je craignais que le sang qui coulait de mes pieds déchirés ne leur décelât mon passage.

Au détour d'un sentier creux, dans le fond d'une vallée sombre et agreste, j'aperçus un jour un vieil édifice d'une architecture simple, mais imposante, et le seul aspect de ce lieu fit descendre dans mes sens le recueillement et la paix.

Je parvins au-dessous des murailles antiques, en prêtant une oreille curieuse aux bruits de cette solitude, et je n'entendis que le vent du nord qui grondait faiblement dans les cours intérieures, et le cri des oiseaux de proie qui planaient sur les tours. Je ne trouvai au-dedans que des portes rompues sur leurs gonds rouillés, de grands vestibules où les pas de l'homme n'avaient point laissé de traces et des cellules désertes. Puis, descendant par des degrés étroits, à la lumière d'un soupirail, dans les souterrains du monastère, je m'avançai lentement parmi les débris de la mort dont ils étaient encombrés ; et pressé de me livrer sans distraction au trouble vague et presque doux que m'inspirait la solennité de ces retraites, je m'assis sur les ais d'un cercueil détruit.

Quand je vins à me rappeler ces associations vénérables que je devais voir si peu de temps et regretter tant de fois ; quand je réfléchis sur cette révolution sans exemple qui les avait dévorées dans sa course de feu, comme pour ravir aux gens de bien jusqu'à l'espoir d'une consolation possible ; quand je me dis, dans l'intimité de mon cœur : Ce lieu serait devenu ton refuge, mais on ne t'en a point laissé ; souffrir et mourir, voilà ta destination ! Oh ! comme elles m'apparurent belles et touchantes, les grandes pensées qui présidèrent à l'inauguration des cloîtres, lorsque la société passant enfin des horreurs d'une civilisation excessive aux horreurs infiniment plus tolérables de la barbarie, et dans cette hypothèse où le retour de l'état de nature et même du gouvernement patriarcal n'était plus que la chimère de quelques esprits exaltés, des hommes d'une austère vertu et d'un caractère auguste érigèrent, comme le dépôt de toute la morale humaine, les premières constitutions monastiques.

Ces hospices conservateurs furent autant de monuments dédiés à la religion, à la justice et à la vérité.

La manie de la perfectibilité, d'où dérivent toutes nos déviations et toutes nos erreurs, était déjà près de renaître ; le monde allait se policer peut-être encore une fois. Toutes les pensées généreuses, toutes les affections primitives allaient s'effacer encore, et des solitaires obscurs l'avaient prévu.

Modestes et sublimes dans leur vocation ? ils n'aspirent qu'à nous conserver la tradition du beau moral, perdu dans le reste de l'univers.

Celui qui était riche fait de ses biens le patrimoine des pauvres.

Celui qui était puissant, et qui imposait autour de lui des ordres inviolables, se revêt d'un rude cilice, et entre avec soumission dans les voies qui lui sont prescrites.

Celui qui était brûlant d'amour et de désirs renonce aux plaisirs promis, et creuse un abîme entre son cœur et le cœur de la créature.

Le moindre sacrifice du plus faible de ces anachorètes ferait la gloire d'un héros.

Examinons cependant avec une scrupuleuse attention ce que cette milice sacrée pouvait avoir de si révoltant pour les sages de notre siècle, et par quels crimes d'humbles cénobites s'attirèrent cette animadversion furieuse, unique dans les annales du fanatisme.

C'étaient des anges de paix qui s'adonnaient dans le silence de la solitude à la pratique d'une morale excellente et pure, et qui ne paraissaient au milieu des hommes que pour leur apporter quelque bienfait.

Leurs loisirs mêmes étaient voués à la prière et à la charité.

Ils dirigeaient la conscience des pères ; ils présidaient à l'éducation des enfants ; ils protégeaient, comme les fées, les premiers jours du nouveau-né ; ils appelaient sur lui les dons du ciel et les lumières de la foi. Plus tard, ils guidaient ses pas dans les sentiers difficiles de la vie ; et quand elle touchait à son période suprême, ils soutenaient ce débile voyageur dans les avenues du tombeau et lui ouvraient l'éternité.

Qu'on ne dise plus que le malheureux est un anneau brisé dans la chaîne des êtres.

Le pauvre expirant sur la paille était du moins entouré de leurs exhortations et de leur secours.

Ils enchantaient de leurs consolations l'agonie des malades et la tristesse des prisonniers.

Ils embrassaient tous les affligés d'une égale compassion. Leur vive charité s'informait moins de la faute que du malheur ; et si l'innocent leur était cher, le coupable ne leur était point odieux. Le crime aussi n'a-t-il pas besoin de pitié ?

Quand la justice avait choisi une victime, et que le patient, abandonné de toute la terre, s'avançait lentement vers son échafaud, il retrouvait à ses côtés ces divins émissaires de la religion, et ses yeux près de s'éteindre lisaient dans leurs yeux résignés la promesse du salut.

Leurs fastes modestes s'enrichissaient toutefois des plus illustres souvenirs. Ils avaient vu de puissants monarques abdiquer la pourpre devant leurs autels, et ils gardaient, dans leurs reliquaires, le sceptre d'Amédée et la double couronne de Charles-Quint.

Ils avaient donné des chefs au monde chrétien ; à l'Église, des pères et des orateurs ; à la vérité, des interprètes et des martyrs.

Leurs fondateurs étaient des élus que Dieu avait inspirés ; leurs réformateurs, de courageux enthousiastes que l'infortune avait instruits.

C'est au milieu d'eux que mûrit le génie de cet Abailard, dont la mémoire est liée à tous les sentiments de piété et d'amour.

C'est dans l'obscurité de leurs cellules que Rancé cacha ses regrets, et que cet esprit ingénieux, qui avait deviné à douze ans les beautés délicates d'Anacréon, embrassa librement, à l'âge du plaisir, des austérités dont notre faiblesse s'étonne.

Enfin, leurs habitudes, leurs mœurs, et jusqu'à leurs vêtements, participaient du caractère noble et sévère de leur mission.

Presque contemporains du vrai culte, leur origine remontait d'ailleurs aux esséniens de la Syrie, aux thérapeutes du lac Mœris.

Les déserts de l'Afrique et de l'Asie parlaient de leurs grottes et de leurs thébaïdes.

Ils vivaient en commun comme le peuple de Lycurgue, et se traitaient de frères comme les jeunes guerriers thébains.

Ils avaient des remèdes comme les psylles, et des secrets comme les prêtres d'Isis.

Quelques-uns s'abstenaient de la chair des animaux et de l'usage de la parole, comme les élèves de Pythagore. Il y en avait qui portaient la tunique et le bonnet des Phrygiens, et d'autres qui ceignaient leurs reins, comme les hommes des anciens jours.

Les ordres de femmes ne présentaient pas des harmonies moins merveilleuses.

Leur vie était chaste comme celle des Muses. Elles chantaient d'une voix mélodieuse, et habitaient des lieux retirés, comme elles.

Certaines avaient des voiles et des bandeaux comme les vestales, ou des robes traînantes comme les veuves romaines, ou des casques et des armures comme les filles sarmates.

On en voyait qui prenaient soin des petits enfants délaissés, comme autant de nouvelles mères données par la Providence, et d'autres qui pansaient les blessures des braves, comme les princesses des siècles héroïques et les châtelaines des vieilles guerres.

Elles gardaient la mémoire des Héloïse et des Chantal, des Louise et des La Vallière ; elles citaient les noms de plusieurs filles, de plusieurs amantes de rois qui avaient échangé parmi elles les atours du faste et les illusions de la volupté contre la bure et les travaux de la pénitence.

Enfin, plus j'approfondis l'histoire de ces moines si décriés, plus l'étendue de leurs travaux m'impose d'admiration et de respect.

Chevaliers de la foi à Rhodes et à Jérusalem ; holocaustes de la foi chez les idolâtres ; conservateurs des lumières dans toute l'Europe, et propagateurs de la morale sur les deux hémisphères ; artistes et lettrés à la Chine ; législateurs au Paraguay ; instituteurs de la jeunesse dans les grandes villes, et patrons des pèlerins dans les bois ; hospitaliers sur le mont Saint-Bernard, et rédempteurs des captifs sous le froc de la Merci, je ne sais si les torts qu'on leur reproche pourraient balancer tant de services ; mais il m'est démontré qu'une institution parfaite serait contradictoire à notre essence, et que s'il est vrai que les associations monastiques ne soient pas elles-mêmes sans inconvénients, c'est parce que le génie du mal a imprimé son sceau à toutes les créations humaines.

Qu'espérais tu donc de tes orgueilleuses tentatives, novateur séditieux ? Anéantissement ou perfection ? Le premier de ces desseins est peut-être un crime ; le second n'est à coup sûr que la plus vaine et la plus dangereuse des erreurs. Porte, si tu le veux, le flambeau d'Érostrate dans l'édifice social, mon cœur est assez aigri pour t'approuver ; mais puisque le ciel a voulu que nous habitassions une terre imparfaite, où rien n'est achevé que la douleur, n'essaie plus désormais, aux dépens de l'expérience de tous les temps, ces réformes partielles qui ne doivent servir de monuments qu'à ta nullité.

Eh quoi ! ils ont analysé le cœur de l'homme, ils en ont sondé toutes les profondeurs, ils en ont étudié tous les mouvements, et ils n'ont pas pressenti une seule de ces occasions trop nombreuses, pour lesquelles la religion avait inventé les cloîtres ! Terreurs d'une âme timide qui manque de confiance dans ses propres forces ; expansion d'une âme ardente qui a besoin de s'isoler avec son créateur ; indignation d'une âme navrée qui ne croit plus au bonheur ; activité d'une âme violente que la persécution a aigrie ; affaissement d'une âme usée que le désespoir a vaincue ; quels spécifiques opposent-ils à tant de calamités ? Demandez aux suicides.

Voilà une génération tout entière à laquelle les événements politiques ont tenu lieu de l'éducation d'Achille. Elle a eu pour aliments la moelle et le sang des lions ; et maintenant qu'un gouvernement qui ne laisse rien au hasard, et qui fixe l'avenir, a restreint le développement dangereux de ses facultés ; maintenant qu'on a tracé autour d'elle le cercle étroit de Popilius, et qu'on lui a dit, comme le Tout-Puissant aux flots de la mer : Vous ne passerez pas ces limites, sait-on ce que tant de passions oisives et d'énergies réprimées peuvent produire de funeste ? sait-on combien il est près de s'ouvrir au crime, un cœur impétueux qui s'est ouvert à l'ennui ? Je le déclare avec amertume, avec effroi : le pistolet de Werther et la hache des bourreaux nous ont déjà décimés !

Cette génération se lève, et vous demande des cloitres.

Paix sans mélange aux heureux de la terre ! mais malédiction à qui conteste un asile à l'infortune ! Il fut sublime le premier peuple qui consacra au nombre de ses institutions un lieu de repos pour les malheureux. Une bonne société pourvoit à tout, même aux besoins de ceux qui se détachent d'elle par choix ou par nécessité.

J'étais de retour dans les bâtiments supérieurs ; et en m'appuyant contre un pilier gothique, orné de tristes emblèmes, je remarquai des caractères péniblement gravés sur une des faces de sa base. On y lisait ce qui suit :

« En voyant l'aveuglement et les misères de l'homme, et ces contrariétés étonnantes qui se découvrent dans sa nature, et regardant tout l'univers muet, et l'homme sans lumière, abandonné à lui-même, et comme égaré dans ce recoin de l'univers, sans savoir qui l'y a mis, ce qu'il y est venu faire, ce qu'il deviendra en mourant, j'entre en effroi comme un homme qu'on aurait emporté endormi dans une île déserte et effroyable, et qui se réveillerait sans connaître où il est, et sans avoir aucun moyen d'en sortir ; et sur cela j'admire comment on n'entre pas en désespoir d'un si misérable état. »

C'est Pascal qui a crayonné dans ces lignes toute l'histoire du genre humain.

Milton Keynes UK
Ingram Content Group UK Ltd.
UKHW050839261023
431376UK00010B/378